머리말

漢字는 우리의 日常生活과 매우 密接 한 關聯이 있으므로 學習의 必要性을 認定 하면서도 배우기가 어려운 것으로 생각하는 傾向이 있다,
그것은 漢字만이 갖고 있는 獨特 한 構造 때문일 것이다. 그러나 그 과정의 어려움을 克復 하고 나면 漢字 만큼 人生의 敎訓을 듬뿍 담은 言語도 없음을 알게 된다

漢詩를 다루다 보니 경험 상 한자와의 接近이 쉬워지고 빨리 이해할 수 있는 길이 열림을 알 수 있었다

지금은 옛날 書堂에서 하는 方法을 넘어 디지털화된 현대 기술과의 접목으로 보다 빨리 손쉽게 이해하고 습득할 수 있는 길이 열렸다는 것은 매우 고무적인 일이 아닐 수 없다.

10여 년 전부터 여려冊子를 通 해 모았던 좋은 漢詩를 나름대로 해석하여 이와 같이 책으로 발간하게 된 점 기쁘게 생각합니다.

-小野 韓 相浩-

표지그림 작가4045 출처 Freepik

술잔 위에 올려놓은 한시 150선

No.1

生死有命富貴在天 —論語-
생사 유 명 부귀 재천 논어

☞**죽고 사는 것과** 富貴貧賤**은 따지고 보면** 天命**에 있다.**
부귀 빈천 천명

(이런 것에 지나치게 마음을 쓰지 말라는 忠告**).**
충고

至柔至靜 -易經-
지 유 지 정 역경

☞至極**히** 柔順**하고 고요함,/** 女性**의** 美德**을 이른다.**
지극 유순 여성 미덕

雲遊霞宿 霞/**노을** -李益-
운유 하 숙 하 이익

☞風流**의** 境地
풍류 경지

閒中至樂 -蔡軾-
한 중 지락 채 식

☞閑暇**한 가운데서 누리는 비할 수 없는 즐거움**
한가

酒無量不及亂 -論語-
주 무 량 불급 난 논어

☞**술에는 일정한 양이 없다 다만 흐트러지지 않도록 할 뿐이다**

雲從龍風從虎 -易經-
운종 용 풍 종 호 역경

☞**용에는 구름, 호랑이에는 바람이 따른다/ 큰 인물이 나타날 때에는**

이를 돕는 인물이 나타는 다는 말

No.2

他山之石可以攻玉 -詩經-
타산지석 가 이 공옥 시경

☞다른 山(산)에서 나쁜 돌도 자신의 玉(옥)을가는데 所用(소용)이 된다.

※다른 사람의 하찮은 言行(언행)일지라도 자신의 智德(지덕)을 鍊磨(연마) 하는데 도움이 된 다는 말.

生於憂患死於安樂 -孟子=
생 어 우환 사 어 안락 맹자

☞괴로움 중에서 살아간다. 편안하면 도리어 기운이 빠져서 죽는다.

淸風徐來水波不興 -蘇東坡-
청풍 서 래 수파 불흥 소동파

☞맑고 시원한 바람이 수면에 물결도 일으키지 않고 불어온다.

月白人千里天晴雁一行 -毛彬-
월 백 인 천 리 천청 안 일 행 모 빈

☞달빛이 하얗게 비치는 밤에,천리 밖에 있는 사람을 생각하는데 맑은 하늘에는 기러기 한 떼가 날아간다.

峯頭片片秋雲白
봉두 편편 추운 백

☞산봉우리에 흰 구름이 조각조각 떠 있다.

柿葉滿庭紅顆秋 顆(과)/**낱알**
시 엽 만정 홍 과 추

☞감나무 잎이 떨어져 뜰에 가득하고 가지에는 열매가 붉다,

江邊楓落菊花黃 -崔國輔-
강변 풍 락 국화 황 최 국보

☞江邊에는 菊花 잎이 떨어지고, 菊花가 한창이다.
강변 국화 국화

白露降寒蟬鳴 蟬/매미
백로 강 한 선명 선

☞흰 서리가 내리고, 쓰리라미가 운다.

No.3

疑心을 받었어요 -李德懋-
의심 이덕무

昨日餞君去 餞/전별하다
작일 전 군 거 전

冒闇歸暫遲 冒/무릅쓰다 闇/닫힌문 暫/잠시
모 암 귀 잠 지 모 암 잠

上堂執華燈
상 당 집 화 등

卽遽已生疑 遽/갑자기
즉 거 이 생 의 거

☞어제 당신을 보내고 나니
밤길이라 돌아오기 조금 늦었지요
대청에 올라 등불을 켜는데
서방님이 벌써 의심을 두더군요

山中與幽人對酌 -李 白-
산중 흥 유인 대작 이 백

兩人對酌山花開 幽/그윽하다
양인 대작 산화 개 유

一杯一杯又一杯
일배 일배 우 일 배

我醉欲眠君且去
아 취 욕 면 군 차 거

明朝有意抱琴來
명조 유의 포 금 래

☞꽃이 핀 산에서 둘이 마주앉아 술을 마신다
한잔 한잔 또 한잔
나는 취해 이대로 잠들기를 바라니
자네는 돌아가게나. 혹시 마음이 내키거든
내일 아침에 거문고를 가지고 돌아오게
※幽人은 隱者를 뜻함
유인 은자

No.04

貧交行 -杜 甫-
빈 교 행 두 보

飜手作雲覆手雨 飜/뒤칠 覆/뒤집힐
번 수 작 운 복 수 우 번 복

君不見管鮑貧時交 鮑/절인어물
군 불 견 관 포 빈 시 교 포

紛紛輕薄河須數 薄/엷을 須/모름지기
분분 경 박 하 수 수 박 수

此道今人棄如土 棄/버릴
차 도 금인 기 여 토 기

☞손을 뒤집으면 구름이 되고 손을 덮으면 비가 되니
이런 경박한 무리들이 얼마나 많은가
관중과 포숙의 가난한 시절의 교우를 보지 않았는가
이런 우도를 오늘의 사람들은 흙처럼 버리는 구나

※當時(당시)의 國家考試(국가고시)에 落榜(낙방)한 杜甫(두보)는 옛 벗들의 溫情(온정)을 期待(기대)했으나 冷待(냉대)를 받고 이 詩(시)를 썼다.

張華(장회)의 詩(시)에 末世多輕薄(말세다경박) 이라는 말이 나오는데 이 시에서 根據(근거) 한 것이다.

No.05

半月(반월) -黃眞伊(황진이)-

誰斲崑山玉(수착곤산옥) 斲(착)/깍다/베다/쪼개다

裁成織女梳(재성직여소) 裁(재)/마를 梳(소)/빗

牽牛一別後(견우일별후) 牽(견)/끌

愁擲碧空虛(수척벽공허)

☞누가 崑山(곤산)의 玉(옥)을 쪼개다가

織女(직녀)의 빗을 만들었을까

牽牛(견우)와 離別(이별) 한 뒤

시름없이 하늘에 던지니 반달이 되었어라

淸如水平如衡(청여수평여형) 衡(형)/저울대

☞물과 같이 淸廉(청렴)하고 저울대처럼 公平(공평)하다.

治大國若烹小鮮 -老 子-
치 대 국 약 팽 소 선 노 자

☞대국을 다스리기를 생선을 굽듯이 하라,
너무 손을 대면 부스러진다

Unsplash의 Johannes Plenio

No.06

有治人無治法 -荀子=
유 치 인 무 치 법 순자

☞**사람을 다스리는 사람은 있어도 사람을 다스리는 법은 없다**
法**은** 死物**이요 이를** 活用**하는 것은 사람이다.**
법 사물 활용

杜宇爾何情薄物一生何爲落花啼
두우 이 하 정 박 물 일생 하 위 낙화 제

☞杜鵑**새야 너는 어찌 그다지도** 情**이** 薄切**하여 지는 꽃만 슬퍼하고**
두견 정 박 절

落葉**에는 안 우느냐?**
낙엽

詠酒 -中國 作者未詳-
영 주 중국 작자미상

酒**(주)** **술**
酒**(주)** **술이로다**
酌**(작)**來**(래)** **부어라**
飮**(음)**取**(취)** **마시자**
君**막소(**君莫訴**)** **그대는 하소연하지 말게**
시난구(時難久**)** **시국의 어려움이 오래다고**
편락소년(偏樂少年**)** **소년시절 즐겁게 놀아야지**
능오노수(能娛老叟**)** **늙으면 어찌 즐길 수 있겠는가**
대월불가무(對月不可無**)** **달을 대하니 술이 없을수없고**
간화필수유(看花必須有**)** **꽃을 보니 술은 반드시 있어야 하네**
※補塔詩**는 1자2구로 한 자씩 더해져 나가는 시이다 일반적으로 7자**
2구 까지 짓는데 10자2구 이상까지 짓기도 한다.

No.07

燕子樓 -白樂天-
백낙천

滿窓明月滿簾霜
만 창 명 월 만 렴 상

被冷燈殘拂臥牀
피 냉 등 잔 불 와 상

燕子樓中霜月夜
연 자 누 중 상 월야

秋來唯爲一人長
추래 유 위 일인 장

☞창에 가득 찬 보름달, 밤에 가득 내린 서리
이불이 차갑고 등불이 꺼져 가는 데 자리에서 일어난다
연자루에 서리가 내려 그 서리를 맞으며 달밤을 지내도 보고
가을이 오니 나에게는 밤이 길기만 하구나

※燕子樓는 唐時代에 張建封의 愛妾館, 盼盼이 男便이 죽은 뒤 에도
연자루 당 시 대 장 건 봉 애첩 관 반 반 남편

義理를 지키며 살던 樓盼/눈 예쁠
의리 루 반

李梅窓 -朝鮮 宣祖때의 妓女 詩人(1573-1610)
이 매 창 조선 선조 기녀 시인

四野秋光好 /가을빛 무르익어 온 들이 곱습니다
사야 추광 호

獨燈江上臺 /강가를 거닐다 정자위에 오르니
독 등 강 상 대

風流何處客 /어디서 멋 아는 사내
풍 류 하처 객

携酒訪余來 /술병 들고 옵니다.
휴주 방 여 래

No.08

自恨
자 한

東風一夜後 /어젯밤 내린 비에 버들 푸른 빛
동풍 일야 후

柳與梅爭春 /매화는 벙글어서 흰 빛 고와라
유 여 매 쟁 춘

對此最難堪 /그러나 어이하리 이 좋은 시절
대 차 최 난감

樽前惜別人 /잔 올려 님 보내는 아린 가슴을
준 전 석 별인

春思
춘사

東風三月時 /삼월달 봄바람에
동풍 삼월 시

處處落花飛 /꽃잎은 흩날리는데
처처 낙화 비

緣綺相思曲 /애끊는 사랑의 노래 거문고도 흐느끼네
연 기 상사곡

江南人未歸 /강남의 내 님은 돌아올 줄 모르시네
강남인 미귀

No.09

勸學詩
권학 시

少年易老學難成 一寸光陰不可輕
소년 이 노 학 난 성 일촌광음 불가 경

未覺池塘春草夢 階前梧葉已秋聲
미 각 지당 춘초 몽 계전 오엽 이 추 성

☞소년은 금방 늙고 학문은 이루기 어려우니

짧은 시간이라도 가벼이 여기지 말라
못가의 풀들이 봄꿈에서 깨기도 전에
섬돌 앞 오동나무 잎 가을 소리를 낸다.

難作人間識字人
인

☞살면서 식자층 노릇하기 힘들구나.

七夕 -徐居正-
칠석 서거정

天上神仙會/천상의 신선 만남은
천상 신선 회

年年此日同/해마다 이 날이로다
년 년 차일 동

一宵能有幾/하룻 밤이 얼마나 되랴만은
일소 능 유 기

萬古亦無窮/만고에 다함이 없었나니
만 고 역 무궁

月色蛩吟外/달빛은 벌레소리 밖에 빛나고 蛩/메뚜기
월색 공 음 외 공

河聲鵲影中/강물 소리는 까치 그림자 속에 흐르네
하 성 작 영 중

雖無文乞巧/여기는 걸교(유자후의 칠석에대한 걸교문)의 글은 없으나
수 무 문 걸교

雖/비록 乞/빌
수 걸

得句語還工/시를 얻으매 말이 도리어 묘하여라.
득 구어 환 공

※서거정(1420~1488) 조선 성종 때의 문신,문인 호는 사가정.
수양대군의 오른 팔 중 한분,

No.10

訪金居士野居 -三峯 鄭道傳-
방 김 거 사 야 거 삼봉 정도전

秋雲漠漠四山空
추운 막막 사산 공

落葉無聲滿地紅
낙엽 무성 만지 홍

立馬溪橋問歸路
입마 계교 문 귀 로

不知身在畫圖中
부지 신 재 화도 중

漠/사막/조용하하다
막

☞가을 구름 아스라하고 산은 비어 있는데
소리도 없이 땅 위로 가득 떨어지는 단풍잎
시냇가에 말을 세우고 돌아갈 길을 묻는데
오 내가 한 폭의 그림 속에 있는 줄 몰랐네

※鄭道傳(정도전)(1342忠惠王(충혜왕) 復位(복위)3年(년)~1398 太祖(태조)7年(년))
高麗(고려) 末(말)에서 朝鮮(조선) 初(초)까지 文臣(문신)兼(겸) 學者(학자), 李成桂(이성계)를 도와 朝鮮(조선)을 建國(건국)하였으며 나라의 기틀을 다지는 役割(역할)을 했다 하지만 李芳遠(이방원)과 政治鬪爭(정치투쟁)에서 殺害(살해)되었다.

贈醉客/취하신 님께 -李梅窓-
증 취 객 이매 창

醉客執羅衫 羅衫隨手裂
취객 집 나삼 나삼 수 수 렬

不惜一羅衫 但恐恩情絶
불 석 일 나삼 단 공 은 정 절

衫/적삼/윗도리
삼

☞술 취한 님 날 사정없이 끌어당겨 끝내는 비단 저고리 찢어 놓았지요
비단 저고리 아까워 그러는 게 아니라 맺은 정 끊어질까 두려워 그러지요

Unsplash의五玄土 ORIENTO

No.011

閨中怨 -李梅窓-
규중 원 이매 창

瓊苑梨花杜宇啼/옥같은 동산에 배꽃 피고 두견새 우는밤
경 원 이화 두우 제

滿庭蟾影更凄凄/뜰 가득 달빛 더욱 서러워라
만정 섬 영 갱 처처

相思欲夢還無寐/꿈에나 만나려도 도리어 잠마저 오지않고
상사 욕 몽 환 무 매

起依梅窓聽五鷄/일어나 매화 핀 창가에 기대어 오경의 닭소리 듣네.
기 의 매 창 청 오 계

遊楓嶽將還寓靈臺菴 -李 珥-
유 풍 악 장 환 우 영 대 암 이 이

一牀高臥對高峰/평상에 누워 높은 봉우리 마주 보니
일 상 고와 대 고 봉

千里家山信不通/천리 길 고향은 소식조차 막연하여라
천리 가산 신 불 통

半夜鶴聲來枕上/밤중에 학의 울음소리 베겟머리 스쳐가니
반야 학성 래 침상

始知身在寂寥中/비로소 알겠네 이 몸 적막 산중에 있음을
시 지 신 재 적요 중

牀/평상 寂/고요할 寥/쓸쓸할
상 적 요

☞李 珥(1536~1584)
이 이

朝鮮時代의 學者,政治家, 號는 栗谷,石潭,愚齊이고 諡號는文成이다,
조선시대 학자 정치가 호 율곡 석담 우 제 시호 문성

1564년에 生員試,式年文科에 모두 壯元하여 戶曹佐郎에 초임 이후
생원시 식년문과 장원 호조좌랑

同副承旨,右副承旨,兵曹參知.大司憲,同知中樞府事를 거쳐
동부승지 우부승지 병조참지 대사헌 동지중추부사

吏曹,刑曹,兵曹判書,右參贊을 歷任했다
이조 형조 병조판서 우참찬 역임

學問으로는 理氣論에 있어서 氣의獨自性을 重視하는理論을
학문 이기론 기 독자성 중시 이론

主張하였다. 李滉과 더불어 朝鮮 時代 儒學의 雙璧을 이루는 學者로
주장 이황 조선 시대 유학 쌍벽 학자

畿湖學派의 淵源을 열었다 著書로는 聖學輯要.
기호학파 연원 저서 성학집요

啓蒙要訣,栗谷全書 등이 있다.
계몽 요결 율곡전서

No.012

松灘翫月(송탄완월) -金麟厚-

黃昏緩步行 松韻和灘聲
황혼 완보 행 송운 화 탄 성

素月更流彩 悠然心境淸
소월 경 유 채 유 연 심 경 청

灘/여울 翫/가지고 놀/기뻐하다 緩/느릴 韻/운/울림 彩/무늬 悠/멀
탄 완 완 운 채 유

☞어두울 녘 느릿느릿 걸어가니 솔 소리 여울 소리와 어울려라
하얀 달이 빛깔을 흘려 내리니 마음속이 유난히 맑아지누나

※金麟厚(1510~1560)
김인후

朝鮮中期의 文臣 1540년 文科에 合格하고 1543년 弘文館 博士 兼
조선중기 문신 문과 합격 홍문관 박사 겸

世子侍講院 說書를 歷任하여 當時 世子였든 仁宗을 가르쳤다
세자시강원 설서 역임 당시 세자 인종

仁宗이 卽位하여 8個月 만에 死亡하고 乙巳士禍가 일어나자
인종 즉위 개월 사망 을사사화

故鄕으로 내려가 性理學 研究와 後學養成에 精進 하였다.
고향 성리학 연구 후학 양성 정진

No.013

勉諸童 -姜靜一堂-
면 제 동 강 정 일당

汝須勤讀書 毋失小壯時
여 수 근 독서 무 실 소장 시

豈徒記誦已 宜與聖賢期
기 사 기송 이 의 여 성현 기

須/모름지기/마땅히 毋/말/없다/아니다 豈/어찌
수 무 기

☞너희들은 모름지기 부지런히 책을 읽어
젊은 시절을 헛되게 보내지 말라
어찌 외우고 읊조리기만 하겠느냐
마땅히 聖人과 같아지기를 기약하거라
성인

※姜靜一堂(1772~1832)
강 정 일당

朝鮮後期의 性理學者 號는 靜一堂, 忠淸道 堤川 出身
조 선 후 기 성리학 자 호 정 일 당 충청도 제천 출신

女流詩人이며 經書에 뛰어난 能力을 驅使하였다
여류시인 경서 능력 구사

No.014

三角山 -金時習-
삼각산 김시습

三角高峯貫太淸 登臨可摘斗牛星
삼각 고봉 관태 청 등림 가 적 두우성

非徒嶽岫興雲雨 能使邦家萬歲寧
비 도 악 수 흥운 우 능 사 방가 만세 녕

摘/딸 岫/산골
적 수

☞三角山의 높은 봉우리 하늘까지 치솟아
삼각산

오르면 北斗七星과 牽牛星도 따겠네
북두칠성 견우성

산봉우리 구름과 비를 일으킨 뿐만 아니라
능히 이나라를 오래도록 便安하게 하겠지.
편안

☞金時習(1435世宗17~1493成宗24)
김시습 세종 성종

朝鮮의 生六臣의 한 사람, 號는 梅月堂 朝鮮前期의 學者이다,
조선 생육신 호 매월당 조선 전기 학자

儒佛情神을 아울러 包攝한 思想과 卓越한 文章으로 一世를
유불 정신 포섭 사상 탁월 문장 일세

風味하였다,
풍미

神女落花渡
신녀 낙화 도

昨宿花開上下家　今朝來渡落花波
작 숙 화개 상하 가　금조 래 도 낙화 파

人生正似春來去　纔見開花又落花　纔/겨우
인생 정 사 춘래 거　재 견 개 화 우 락 화　재

☞어제는 꽃 핀 마을에서 자고 오늘 아침에는 꽃잎 흘러가는 강을 건너네 인생은 진정 오가는 봄 같아 피는 꽃을 보고 또 지는 꽃을 보는 구나

№015

※苦心中 常得悅心之趣 悅/기쁠
고심 중 상득열심지취 열

樂處樂非眞樂 苦中 樂得來 纔見心體之眞機
락처락비진락 고중 락득래 재견 심체 지진기

樂不必尋 去其苦之者 而樂者存 趣/달릴 纔/겨우
락불필심 거기고지자 이락자존 취 재

☞괴로움 속에서도 언제나 마음을 즐겁게 하는 멋을 찾아야 한다
즐거움 속에서의 즐거움은 참된 즐거움이 아니다 괴로움 속에서
즐거움을 얻을 수 있어야만 비로소 마음의 진정한 움직임을 볼 수
있는 것이다
즐거움도 꼭 찾으려고 할 필요가 없으니 괴로움을 떨쳐버리면
즐거움이 있게 된다.

※茶山 丁若鏞 先生의 글
다산 정약용 선생

登白雲臺에 올라
등 백운대

誰斲觚稜考 超然有此臺 白雲橫海斷
수착고능고 초연 유차대 백운 횡해단

秋色滿天來 六合團無缺 千年湓不回
추색 만천 래 육합 단 무결 천년 분불회

臨風忽舒嘯 覜仰一悠哉
임풍홀서소 조앙일유재

斲/깍을 觚/술잔 稜/모/모서리 湓/빨리갈 舒/펼 覜/빌 哉/어조사
착 고 능 분 서 조 재

☞그 누가 모난 돌 다듬어 높이도 이 백운대를 세웠네
흰 구름은 바다처럼 깔렸는데 가을빛이 온 하늘에 가득 하구나

천지 동서남북은 둥굴어 부족함이 없으나
천년 세월은 가고 오지 않누나
바람 맞으며 돌연 휘파람 불어보니 천상천하가 유유하구나.

No.016

先義後利 (선 의 후 리) 먼저 의를 따르고 후에 이익을 생각하라.

天非私富一人 (천 비 사 부 일인) 하늘은 한 사람을 사사로이 부유하게 만들기 위함이 아니라

蓋託以衆貧者 (개 탁 이 중 빈자) 가난한 사람들은 그에게 부탁하려는 것이요

天非私貴一人 (천 비 사 귀 일인) 하늘은 한 사람을 개인적으로 귀하게 만들기 위함이 아니라

蓋託以衆賤者 (개 탁 이 중 천 자) 대개 하소연할 곳 없는 사람들을 부탁하기 위함이다

chris-stenger unsplash

No.017

※梅花 -徐居正-
서거정

梅花如雪雪如梅　白雲前頭梅定開
매화 여 설 설 여 매　백운 전두 매 정 개

知是乾坤一淸氣　也須踏雪看梅來
지 시 건곤 일 청기　야 수 답 설 간매 래

매화는 눈 같고 눈이 곧 매화려니

하얗게 눈 오면 매화 곧 필터이다

천지간 맑은 기운 눈과 매화 한가지니

모쪼록 눈 밟으며 매화 보러 오사이다.

☞徐居正(1420~1488)
서거정

朝鮮 成宗 **때의** 文臣 號**는** 四佳亭 **또는** 亭亭亭**이다**
조선 성종 문신 호 사가정 정정 정

본디 首陽大君**의 오른팔 중 하나로** 癸酉靖難 **후 당시** 辭命
수양대군 계유정난 사명

(外交文書)**의 대부분을** 專擔**한** 人物
외교문서 전담 인물

世祖 **때에는** 工曹參議,禮曹參議,吏曹參議,刑曹參判,禮曹參判
세조 공조참의 예조참의 이조참의 형조참판 예조참판

刑曹判書,成均館知事,藝文館大提學 **등** 主要 官職**을** 連**이어**
형조판서 성균관지사 예문관대제학 주요 관직 연

除授**하기도 하였다.** 主要 著書**로는** 經國大典,
제수 주요 저서 경국대전

三國史節要,東國輿地勝覽,東文選
삼국사절요 동국여지승람 동문선

東國通鑑.五行總括,東人詩話,太平閑話滑稽傳,筆苑雜記,
동국통감 오행 총괄 동인시화 태평 한화 활 계 전 필원잡기

四佳集,歷代年表,聯珠詩格言解,東人詩文,鄕藥集成方言解
사가집 역대 년 표 연주시 격언 해 동인 시문 향약집성방 언 해

馬醫書,類合**등이 있다,** 諡號**는** 文忠, 稽**/머무를/상고할**
마 의서 유합 시호 문충 계

No.018

※中國古典에 나오는 名言 名句
중국 고전 명언 명구

家貧顯孝子/집이 가난함에 孝子를 난다 -明心寶鑑-
가빈 현 효 자 효자 명심보감

家必自毁然後人毁之 國必自伐然後人伐之
가 필 자 훼 연후 인 훼 지 국 필 자벌 연후 인 벌 지

집은 반드시 스스로 헌 후에 남이 헐고
나라는 반드시 스스로 친 뒤에 남이 친다 -孟子-
맹자

懇懇用刑 不如行恩 懇/정성
간간 용형 불 여 행 은 간

精誠스럽게 刑罰을 쓰는 것이 恩惠를 行한만 못하다 -後漢書-
정성 형벌 은혜 행 후한서

擧如鴻毛 取如拾遺 拾/주울 遺/끼칠
거 여 홍모 취 여 습유 습 유

들기는 기러기 털같이 하고,取하기는 흘린 것 줍듯 한다 -漢書-
취 한 서

儉可以助廉 -宋 史_
검 가 이 조 렴 송 사

儉素함은 淸廉함을 도울 수 있다.
검소 청렴

見怪不怪 其怪自壞 -夷怪三志_
견 괴 불 괴 기 괴 자괴 이 괴 삼 지

怪狀함을 보고 怪狀히 여기지 않는다면 그 괴상함이 스스로
괴상 괴상

破壞한다.
파괴

見小曰明 守柔曰强 -老子-
견소왈명 수유왈강 노자

작은 것을 보는 것을 밝음이라 하고 부드러운 것을 지키는 것을 굳셈이라 한다.

見賢思齊 齊/가지런할 -論語-
견현사제 제 논어

훌륭한 이를 보고서는 가지런하기를 생각한다.

輕諾必寡信 諾/대답할 寡/적을 -老子-
경락필과신 락 과 노자

가벼운 승낙은 반드시 믿음이 적다

No.019

耕當問奴 織當問婢 奴/종(男) 婢종(女)-魏書-
경당문노 직당문비 노 남 비 여 위서

밭가는 일은 마땅히 남자 종한테 묻고 베 짜는 일은 마땅히 여자 종한테 물어야 한다.

曲盡情詐 壓塞群疑 詐/속일 塞/변방 -後漢書
곡진정사 압색군의 사 색 후한서

사실과 거짓을 자세히 하면 모듬 의심을 눌러 막는다.

瓜田不納履 李下不整冠 -古樂府-
과전불납리 이하부정관 고락부

오이 밭에서 신을 신지 않고 오얏나무 아래서 갓을 바로 하지 않는다.

冠雖弊 必如於首 雖/비록 弊/헤질 -史記
관수폐 필여어수 수 폐 사기

갓이 비록 헤어졌으나 반드시 머리를 덮는다.
(貴하고 賤한 것, 위와 아래의 區別이 있다.)
귀 천 구별

丘山積卑而爲高 -莊子-
구산적비이위고 장자

언덕이나 산도 낮은 것을 쌓아 높음을 만들었다.

日新日日新 又日新 -大學=
일신일일신 우일신 대학

진실로 날로 새로우면 날마다 새롭고 또 날로 새롭다.

群居終日 言不及義 好行小慧 難矣哉 -論語-
군거종일 언불급의 호행소혜 난의재 논어

무리로 있어 날을 마치면서 말이 옳은 理致(이치)에는 미치지 않고, 잔知慧(지혜)나 행사하기를 좋아하면 어렵다.

No.020

君子勞心 小人勞力 -左傳-
군자 노심 소인 노력 좌전

君子(군자)는 마음을 수고롭고 小人(소인)은 힘을 수고롭다.

君子不鏡於水而鏡於人 -墨子-
군자 불 경 어 수 이 경 어 인 묵자

군자는 물을 거울로 하지 않고, 사람에게 거울로 한다.

君子死 冠不免 免/면할/벗다 -左傳-
군 자 사 관 불 면 면 좌전

군자는 죽어도 갓을 벗지 아니 한다. 어떠한 경우라도 부끄러운 꼴을 남에게 보이지 않는다.

子愼其獨也 愼/삼갈 -中庸-
자신 기 독 야 신 중용

군자는 그 혼자 있을 때를 조심한다.

君子役物 小人役於物 -荀子-
군자 역 물 소인 역 어 물 순자

군자는 물건을 부리고 소인은 물건에 부림을 받는다.

君子周而不比 -論語-
군자 주 이 불 비 논어

君子(군자)는 圓滿(원만)히 사귀고 黨派(당파)지어 사귀지 않는다.

君子之交淡若水　　　　淡/묽을　　-明心寶鑑-
군자지교담약수　　　　담　　　　명심보감

군자의 사귐은 淡淡하기가 물과 같다.
담담

淡淡/慾心이 없고 마음이 깨끗함.
담담　욕심

君子惠而不費 勞而不怨 欲而不貪　　-論語-
군자 혜 이 불 비　노이불원　욕 이 불 탐　　논어

君子는 惠澤을 주면서 浪費하지 않고 수고로워도 怨望하지 않고
군자　혜택　낭비　원망

意慾的이면서도 貪慾的이지 않다.
의욕적　탐욕적

kkw0812

No.021

窮鳥入懷 仁人所憫 憫/불쌍이여기다 -顔氏家訓-
궁조입회 인인 소 민 민 안씨가훈

궁한 새가 품에 들어오면 어진 사람은 불쌍히 여기는 것이다.

窮則變 變則通 -周易-
궁 측 변 변 측 통 주역

궁하면 바꾸고 바꾸면 통한다.

貴冠履忘頭足 履/신,밟다 =淮南子-
귀 관 이 망 두족 이 회남자

갓과 신은 귀하게 여기면서 머리와 발은 잊는다.

金百鍊然後精 -皇極經書-
금 백 련 연후 정 황극 경서

금은 백번 불린 뒤에 순수해 진다.

其身正 不令而行 -論語-
기 신 정 불 령 이 행 논어

그 자신은 바르면 命令하지 않아도 行하여진다.
명령 행

飢者 易爲食 -孟子-
기자 이 위 식 맹자

배고픈 이에게 먹게 하기 쉽다,

落花難上枝 破鏡不重照 -五燈會元-
낙화 난상 지 파경 불 중 조 오등회원

떨어진 꽃은 가지에 올라가기 어렵고 깨어진 거울은 다시 맞추지 못한다.

男女貿功 相資爲業 貿/바꿀 -亢倉子-
남녀 무 공 상 자 위업 무 항창자

남녀가 하는 일을 바꾸어 서로 도와 업을 이룬다.

No.022

濫想徒傷神 妄動反致禍 -明心寶鑑-
남 상 도 상 신 망동 반 치 화 명심보감

넘치는 생각은 쓸데없이 정신만 상하게 하고 망녕된 행동은 도리어 禍(화)를 부른다

路遙知馬力 日久見人心 -明心寶鑑-
노 요 지 마력 일구 견 인 심 명심보감

길이 멀어야 말의 힘을 알고, 날이 오래야 사람의 마음을 안다.

能忍恥者安 能人辱者存 -說苑-
능 인 치 자 안 능 인 욕 자 존 설원

능히 부끄러움을 참는 자는 편하고, 능히 屈辱(굴욕)을 참는 이는 生存(생존)한다,

大德滅小怨 -左傳-
대덕 멸 소 원 좌전

큰 恩惠(은혜)는 작은 怨讐(원수)를 없앤다. 讐(수)/원수

對石佛談禪 禪/封禪 -兒女英雄傳-
대석 불 담선 선 봉선 아 여영 웅 전

돌부처 대하고 선을 말한다.

大人之敎 若形之於影 聲之於響 響/울릴 -莊子-
대인 지교 약형지어영 성지어향 향 장자

큰 사람의 가르침은 형체에서의 그림자와 소리에서의 메아리와 같다.

大行不顧細謹 謹/삼갈 -史記-
대행 불고 세근 근 사기

큰 行爲는 자질구레한 조심을 돌아보지 않는다.
행위

大絃急小絃絶 -後漢書-
대현 급소 현절 후한서

(거문고의)큰 줄이 급하면 작은 줄은 끊어진다./爲政者가 너무
위정자

엄격하며나 국민은 피로하여 망한다.

Unsplash의Beth Macdonald

No.023

德不孤 必有隣 -論語-
덕불고 필 유린 논어

덕은 외롭지 않고 반드시 이웃이 있다.

德勝不祥 仁除百禍 -列女傳-
덕 승 불상 인 제 백 화 열녀전

德은 祥瑞롭지 못함을 이기고 어짊은 온갖 禍를 없앤다.
덕 상서 화

※祥瑞/慶事롭고 吉한 徵兆
상서 경사 길 징조

德之流行 速於置郵而傳命 -孟子-
덕 지 유행 속 어 치우 이 전 명 맹자

德의 퍼져나감은 擺撥馬를 달려서 命令을 전하는 것보다 빠르다.
덕 파발마 명령

擺/열릴 撥/다스릴
파 발

逃名而名我隨 避名而名我追 -漢書-
도명 이 명 아 수 피 명 이 명 아 추 한서

名聲을 逃亡하여도 명성이 나를 따르고, 名聲을 避하여도名聲이 나를 쫓아온다.
명성 도망 명성 피 명성

道不同 不相爲謀 -論語-
도부동 불 상 위 모 논어

길이 같지 않으면 서로 議論하여 計劃하지 않는다.
의논 계획

讀十遍 不如寫一遍 **遍/두루** -羅大經-
독 십 편 불 여 사 일 편 편 라 대경

열 번 읽는 것이 한 번 쓰는 것만 못하다,

得其術則功成 失其術則事廢 -論衡-
득 기 술 측 공성 실 기 술 측 사 폐 논형

그 방법을 얻으면 공이 이루워지고 그 방법을 잃으면 일이 망쳐진다.

oriento-unsplash

No.024

得時者昌 失時者亡 -列子-
득시 자 창 실시 자 망 열자

때를 얻은 이는 興하고 때를 잃은 이는 亡한다.
흥 망

滿招損 謙受益 -書經-
만 초 손 겸 수 익 서경

가득함은 損害를 부르고 謙遜은 이익을 받는다.
손해 겸손

埋骨不埋名 埋/**묻을** -白居易-
매골 불 매 명 매 백거이

뼈는 묻어도 이름은 묻지 못한다.

明鏡所以照形 古事所以知今 -說苑-
명경 소이 조 형 고사 소이 지 금 설원

밝은 거울은 形體를 비추는 것이요 옛일은 이제를 아는 것이다.
형체

名者 實之賓也 -莊子-
명 자 실지 빈 야 장자

名聲은 實力**의 나그네다/**實力**이** 重要**하다.**
명성 실력 실력 중요

明主者 務聞其過 不欲聞其善 -戰國策-
명주 자 무 문 기 과 불 욕 문 기 선 전국책

현명한 임금은 그 허물을 듣기에 힘쓰고, 그 잘함을 들으려 하지 않는다.

毛羽不豐滿者 不可以高飛 -戰國策-
모우 불 풍만 자 불가 이 고 비 전국책

털과 날개가 풍만하지 못한 것은 높이 날지 못한다.

木强則折 -老子-
목강 즉 절 노자

나무가 강하면 꺽어진다.

No.025

無道人短 無說己長 -文選-
무도 인 단 무 설 기 장 문선

남의 단점을 말하지 말고 자기의 장점을 말하지 말라.

無冥冥之志者 無昭昭之明 昭/**밝을** -荀子-
무 명 명 지 지 자 무 소 소 지 명 소 순자

어둑어둑한 생각이 없는 이는 환한 밝음이 없다/ 남모르게 간직한 의지 노력이 없는 이에게는 세상에 알려지는 명예가 없다.

聞道有先後 術業有專攻 -韓愈,師說-
문도 유 선 후 술업 유 전 공 한유 사설

道**를 듣는 것은 먼저와 나중이 있고,**技術 學業**에는** 專攻**이 있다.**
도 기술 학업 전공

物盛則衰 -戰國策-
물 성 측 쇠 전국책

物件**은** 盛**하면** 衰**한다.**
물건 성 쇠

物有本末 事有終始 -大學-
물유본말 사 유 종시 대학

物件**은** 根本**과** 末端**이 있고 일은 끝과 시작이 있다.**
물건 근본 말단

物而多爲賤　　　　　　　　-白居易-
물 이 다 위 천　　　　　　　　백거이

물건은 많은 것을 천하게 여긴다,

物之生長 無卒成暴紀 皆有浸漸　　　　-論衡-
물 지 생장 무 졸 성 폭 기 개 유 침 점　　　　논형

물건의 나서 자람은 갑자기 되고, 별안간 일어나는 것이 아니고 다 물 배어들 듯 점진함이 있다.

martin-bennie unsplash

No.026

物必先腐而後 蟲生之 -論衡-
물 필 선 부 이 후 충 생 지 논형

迷者不問路 -荀子-
미 자 불문 로 순자

길 잃은 자는 길을 묻지 아니한다.

敏於事而愼於言 敏/**재빠를** 愼/**삼갈** -論語-
민 어 사 이 신 어 언 민 신 논어

일에 敏捷**하고 일에 조심한다.** 捷/**빠를**
민첩 첩

薄施厚望者 不報 貴而忘賤者 不久 -明心寶鑑-
박 시 후 망 자 불 보 귀 이 망 천 자 불구 명심보감

엷게 베풀고 두텁게 바라는 이는 갚아지지 못하고, 귀하고서 천한 때를 잊은 이는 오래 가지 못한다.

博愛之謂仁 博/**넓을** 謂/**이를** -韓愈_
박애 지 위 인 박 위 한유

널리 사랑하는 것은 仁**이라 한다.**
인

發憤忘食 樂而忘憂 -論語-
발분망식 낙 이 망우 논어

분함이 나면 먹음도 잊고 즐거움도 근심도 잊는다.
학문의 의문을 풀지 못하여 답답한 마음이 나면 음식도 잊어버리고, 그 의문을 풀어 즐거우면 근심을 다 잊는다는 學者**의** 生活.
학자 생활

防民之口 甚於防水 -國語-
방 민 지 구 심 어 방수 국어

百姓의 입을 막기는 물을 막기보다 甚하다.
백성 심

法道制令 各順其宜 衣服器械 各便其用 -戰國策
법도 제령 각 순 기 의 의복 기계 각 편 기 용 전국책

法律,制度,命令은 各各 그 알맞음을 따르고, 衣服,器具,
법률 제도 명령 각각 의복 기구

연장은 각각 그 쓰임을 便利하게 한다.
편리

No.027

法不阿貴 -韓非子-
법 불 아 귀 한비자

法은 貴함에 阿附 하지 않는다.
법 귀 아부

兵務精 不務多 -十八史略
병무 정 불 무 다 십팔사략

군대는 알참에 힘쓰고 많음에 힘쓰지 아니한다.

病從口入 禍從口出 -傳玄
병종구입 화 종 구 출 전 현

病은 입으로부터 들어오고,禍는 입으로부터 나온다.
병 화

寶貨用之有盡 忠孝亨之無窮 亨/형통할 -明心寶鑑
보화 용 지 유 진 충효 형 지 무궁 형 명심보감

寶貨는 써서 다함이 있으나,忠孝는 누려서 끝이 없다.
보화 충효

福過禍生 -宋書
복 과 화 생 송서

福이 지나치면 禍가 생긴다.
복 화

福不重至 禍必重來 -說苑
복 불 중 지 화 필 중래 설원

복은 거듭 오지 않고, 화는 반드시 거듭 온다.

富潤屋 德潤身 潤/젖을 -大學
부윤 옥 덕윤신 윤 대학

富는 집을 潤澤하게하고, 德은 몸을 潤澤하게 한다.
부 윤택 덕 윤택

附耳之言 聞語千里 -淮南子
부 이 지 언 문 어 천리 회남자

귀에 대고 한 말이 천리에 들린다.

No.028

不在其位 不謨其政 -論語
부 재 기 위 불 모 기 정 논어

그 地位에 있지 않고서 그 政事를 計劃하지 않는다.
지위 정사 계획

弗慮胡獲 弗爲胡成 胡/멀 -書經
불 려 호 획 불 위 호 성 호 서경

생각하지 않으면 무엇을 얻으며 하지 않으면 무엇을 이루겠는가.

不忘沒於勢利 不誘惑 勢/기세 惑/미혹 -淮南子
불망 몰 어 세 리 불 유혹 세 혹 회남자

勢力과 利益에 妄靈되게 빠지지 않으면 誘惑되지 아니한다.
세력 이익 망령 유혹

不愼其前而 悔其後 雖悔 無及矣 雖/**비록** -說苑
불신 기 전 이 회 기 후 수 회 무 급 의 수 설원

그 사전에 조심하지 않고서 그 사후에 뉘우치면 비록 뉘우쳐도 미침이 없다.

不信於友 不獲於上矣 -孟子
불신 어 우 불획 어 상 의 맹자

친구에게 믿음 갖지 못하면 윗사람한테 얻어지지 못한다.

不以人廢言 -論語
불 이 인 폐 언 논어

사람으로서 말을 버리지 아니한다.

不仁而在高位 是播其惡於衆也 播/**뿌릴** -孟子
불인 이 재 고위 시 파 기 악 어 중 야 파 맹자

어질지 못하고서 높은 자리에 있으면 그 악을 여러 사람에게 뿌리는 것이다.

不入虎穴 不得虎子 -後漢書
불 입 호혈 부 득 호자 후한서

호랑이 굴에 들어가지 않으며 호랑이 새끼를 얻지 못한다.

No.029

墳土未乾名已滅 -白居易
분토 미 건 명 이 멸 백거이

무덤의 흙이 마르지 못해서 몸과 이름이 함께 없어진다.

比近不悅 無務修遠 悅/**기쁠** -說苑
비 근 불열 무 무 수 원 열 설원

가까운 이가 기뻐하지 않으면 먼 사람을 交際(교제)**하지 말라.** 際(제)**/즈음/사이**

貧賤之交 不可忘 -後漢書
빈천지교 불가 망 후한서

가난하고 賤(천)**할 적의 사귐을 잊어서는 안된다.**

氷炭不言而冷熱之質 子明 -晉書
빙탄 불언 이 냉열 지 질 자명 진서

얼음과 숯은 말하지 않아도 차고 더운 本質(본질)**은 저절로 알게 된다**

事君不避難 有罪不逃刑 逃/**달아날** -左傳
사군 불 피난 유죄 불 도 형 도 좌전

임금을 섬김에는 어려움을 피하지 않고, 죄가 있으면 刑罰(형벌)**을** 避(피)**하지 않는다.**

士爲知己者死 女爲悅己自容 -戰國策
사 위 지기 자 사 여 위 열기 자 용 전국책

男子(남자)**는 자기를 알아주는 이를 위하여 죽고,** 女子(여자)**는 자기를 좋아하는 이를 위하여 모양낸다.**

No.030

死惑重於泰山 惑輕於鴻毛 -司馬遷
사 혹 중 어 태산 혹 경 어 홍모 사마천

죽음은 혹 태산보다 무겁기도 하고, 혹 기러기 털보다 가볍기도 한다

山不高則不靈 -世說新語
산 불 고 즉 불 영 세설신어

산은 높지 않으면 거룩하지 못하다.

賞從重 罰從輕 -說苑
상 종 중 벌 종경 설원

상은 무거운 편을 좇고 벌은 가벼운 편을 좇는다.

善歌者 使人繼其聲 -禮記
선 가 자 사인 계 기 성 예기

노래 잘하는 이는 남에게 그 소리를 繼承하게 한다.
계승

善惡之報 若影隨形 -舊唐書
선악 지 보 약 영 수 형 구당서

善惡의 報答은 그림자가 形體를 따르는 것과 같다.
선악 보답 형체

善爲吏者 樹德 吏/벼슬아치 -韓非子
선 위 이 자 수 덕 이 한비자

公務員을 잘 하는 이는 德을 심는다.
공무원 덕

善者不辨 辨者不善 辨/분별할 -老子
선자 불변 변 자 불선 변 노자

善한 이는 말 잘하지 않고 말 잘하는 이는 善하지 못하다.
선 선

善作者 不必善成 善始者 不必善終 -戰國策
선 작자 불 필 선 성 선 시 자 불 필 선 종 전국책

創作(창작)을 잘하는 이가 꼭 完成(완성)도 잘하는 것은 아니고 시작을 잘하는 이가 꼭 끝맺음을 잘하는 것은 아니다.

先則制人 /먼저 남을 제압한다. -史記
선 측 제 인 사기

No.031

聖人不能爲時 時至而弗失 -戰國策
성인 불능 위 시 시 지 이 불 실 전국책

聖人(성인)은 때를 만들지는 못하나 때가 오면 잃지 않는다. 聖(성)/성스러울

聖人之救爲國也 以忠 拂耳刺骨 拂/떨 -韓非子
성인 지 구 위국 야 이 충 불 이 자 골 불 한비자

聖人(성인)이 危殆(위태)로운 나라를 救濟(구제)함은 忠誠(충성)으로써 귀를 거스르고 뼈를 찌른다.

聖人之制事也 轉禍而爲福 因敗而爲功 -戰國策
성인 지 제 사 야 전 화 이 위 복 인 패 이 위 공 전국책

성인이 일을 함은 화를 바꾸어 복으로 만들고 失敗(실패)에 起因(기인)하여 成功(성공)을 한다.

世異則事異 -韓非子
세 리 즉 사 리 한비자

세상이 다르면 일도 다르다.

所貴於天下之士者 爲人排患釋難 解紛難而 無所取也 紛/어지러울
소 귀 어 천하 지 사 자 위 인 배 환 석 난 해분 난 이 무 소 취 야 분

-戰國策
전국책

天下의 人事를 귀히여기는 것은 남을 위하여 근심을 물리치고
천하 인사

어려움을 풀고 紛亂을 해결하고서도 취하는 것이 없는 것이다.
분란

小而聽了 大未必奇 -後漢書
소 이 청 료 대 미 필 기 후한서

작아서 똑똑한 것이 커서 꼭 뛰어나지 만은 못하다.

meng-ji-unsplash

№032

小人 窮斯濫矣 斯/이 -論語
소인 궁 사 람 의 사 논어

소인은 궁하면 곧 넘치는 생각을 한다.

少壯不勞力 老大乃傷悲 -文選
소장 불 노 력 노대 내 상 비 문선

젊어서 노력하지 않으면 늙어서 곧 슬퍼진다.

須慣習然後 能善 須/모름지기 慣/버릇 -抱朴子
수 관 습 연 후 능 선 수 관 포박자

모름지기 익힌 뒤에 잘할 수 있다.

水隨方圓器 -韓非子
수 수 방원 기 한비자

물은 모나고 둥근 그릇을 따른다.

因首喪面而談詩書 喪/죽을 洵/참으로 -蘇洵
인 수 상 면 이 담 시서 상 순 소순

罪囚**의 머리** 喪主**의 얼굴로서** 詩經,書經**을 말하다.**
죄수 상주 시경 서경

勝敵而愈戒 愈/나을 -荀子
승 적 이 유 계 유 순자

敵**을 이기고서 더욱** 警戒**한다.**
적 경계

施人愼勿念 愼/삼갈 -禮記
시 인 신 물 념 신 예기

남에게 베풀고서 생각하지 말도록 조심하라.

矢在弦上 不可不發　弦/시위　-三國志
시 재 현 상 불가불 발 현 삼국지

화살이 활시위 위에 있으면 쏘지 않을 수 없다.

識其一 不知其二　-莊子
식 기 일 부지 기 이 장자

그 하나만 알고 그 둘은 모른다.

No.033

識時務者 在乎俊傑　傑/뛰어날　-三國志
식시무 자 재 호 준 걸 걸 삼국지

時局의 任務를 아는 이는 뛰어난 人事에 있다.
시국 임무 인사

新沐者 必彈冠　沐/머리감을　-漁父辭
신 목 자 필 탄 관 목 어부사

새로 머리감은 이는 반드시 갓을 턴다.

愼終如始則無敗事　-老子
신종 여 시 즉 무패 사 노자

끝을 조심하기를 시작같이 하면 실패하는 일이 없다.

深根者難拔 據固者難遷　拔/뺄 遷/옮길　-三國志
심 근 자 난 발 거 고 자 난 천 발 천 삼국지

뿌리가 깊은 것은 빼기 어렵고, 지킴이 굳은 것은 옮기기 어렵다.

心不使焉則白黑在前而目不見 雷鼓在側而耳不
심 불 사 언 즉 백흑 재전 이 목 불 견 뇌고 재 측 이 이 불

聞　焉/어찌　-荀子
문 언 순자

마음이 행사하지 않으면 하얀 검정이 앞에 있어도 눈으로 보지

못하고. 우뢰와 북이 곁에 있어도 귀로 듣지 못한다.

甚愛必大費 多藏必厚亡 知足不辱 知止不殆 藏/감출
심 애 필 대 비 다 장 필 후 망 지족불욕 지지불태 장

辱/욕되게할 -老子
욕 노자

甚하게 아끼면 크게 浪費하고 많이 간직하면 반드시厚하게 잃고,
심 낭비 후

滿足을 알면 辱되지 않고,그칠 줄을 알면 危殆롭지 않다.
만족 욕 위태

№034

甚愛必甚費 甚譽必甚毁 譽/기릴 毁/헐- 明心寶鑑
심 애 필 심 비 심 예 필 심 훼 예 훼 명심보감

심하게 아끼면 반드시 심하게 浪費하고 심하게 稱讚하면 반드시
낭비 칭찬

심하게 헐뜯는다.

惡心屛退 善心興起 屛/병풍/가리다 -隋書
악심 병퇴 선심 흥기 병 수서

악한 마음이 물러가면 선한 마음이 일어난다.

安而不忘危 -周易
안 이 불망 위 주역

便安하고서 危險을 잊지 않는다.
편안 위험

仰不愧於天 愧/부끄러워할 -孟子
앙 불 괴 어 천 괴 맹자

우러러보아 하늘에 부끄럽지 아니하다.

愛多則憎多 憎/미워할 -亢會子
애 다 즉 증 다 증 항 회자

사랑이 많으면 미움도 많다. 亢/목
항

愛而知其惡 憎而知其善 -禮記
애 이 지 기 악 증 이 지 기 선 예기

사랑하면서 그 나쁨을 알고,미워하면서 그 잘함을 안다

陽氣發處 金石亦透 透/통할 -朱子語錄
양기 발 처 금석 역 투 투 주자어록

陽**의**氣運**이 일어나는 바에 쇠와 돌도** 通**할 수 있다.**
양 기운 통

良農 不爲水旱不耕 旱/가물 -荀子
양농 불 위 수 한 불 경 한 순자

賢明**한** 農夫**는 장마와 가뭄 때문에** 農事**짖지 아니하지않는다**
현명 농부 농사

No.035

良藥苦口 利於病 忠言逆耳 利於行 -孔子家語
양약 고 구 이 어 병 충언역이 이 어 행 공자 가어

좋은 약은 입에 쓰나 병에는 이롭고 眞實한 말은 귀에 거슬리나
진실

行實에는 이롭다.
행실

良田萬頃 不如薄藝隨身 頃/**밭넓이단위** 藝/**심을**
양전 만경 불 여 박 예 수 신 경 예

좋은 논밭 많은 것이 변변찮은 재주가 몸을 따르는 것만 못하다.
-明心寶鑑
명심보감

兩虎共鬪 具勢不俱生 俱/**함께** 具/**갖출** -史記
양 호 공 투 구 세 불 구 생 구 구 사기

두 호랑이가 서로 싸우면 그 형편이 함께 살지는 못한다.

言非禮義 謂之自暴 吾身不能居仁由義 謂之自 棄也 -孟子
언 비 예 의 위 지 자 폭 오 신 불능 거 인 유 의 위 지 자 기 야 맹자

禮와 義를 그르다고 말하는 것을 自暴(자기를 해침)라 이르고, 내
예 의 자 폭

몸은 仁에 살고 義를 따를 수 없다는 것을 自棄(자기를 버림)라
인 의 자기

이른다.

言之者 無罪 聞之者足以戒 戒/**경계할** -詩經
언 지 자 무죄 문 지 자 족 이 계 계 시경

말하는 이는 죄 없고 듣는 이는 訓戒 삼을 수 있다.
훈계

노래로 諷刺하는 것은 직접 꼬집지 않으므로 노래하는
풍자

백성도 죄에 걸리지 않고 듣는 爲政者(위정자)에게 訓戒(훈계)가 된다.

No.036

與不期衆少 其於當厄 怨不期深淺 其於傷心 厄/재앙 -戰國策
여불기중소 기어당액 원불기심천 기어상심 액 전국책

주는 것은 많고 적음에 결정되지 않고 그 어려움을 당함에 달리고
원한은 얕음에 결정되지 않고 그 마음을 상하게 함에 달렸다,

與人不求備 檢身若不及 與/주다/베풀다 -書經
여인 불구비 검신 약 불급 여 서경

남을 쓰는데는 具備(구비)하기를 구하지 않고 그 어려움을 당 함에 달리고

원한은 깊고 얕음에 결정되지 않으며 그 마음을 상하게 함에 달렸다.

力勝貧 謹勝禍 謹/삼갈 -說苑
력승빈 근승화 근 설원

힘씀은 가난을 이기고, 삼감은 화를 이긴다.

禮繁者 實心衰也 繁/많을 衰/쇠할 -韓非子
예번자 실심 쇠야 번 쇠 한비자

禮節(예절)이 繁雜(번잡)한 자는 실제 마음은 衰弱(쇠약)하다.

吾嘗終日不食 終夜不寢 以思無益 不如學也 嘗/맛볼 寢/잠잘
오상 종일 불식 종야 불침 이사 무익 불여학야 상 침
-論語
논어

내가 일찍이 온종일 먹지 않고 밤새도록 자지 않으면서
思索(사색)하였으나 有益(유익)함이 없었고 배우는 것(讀書(독서))만 못하였다.

No.037

惡辱而居不仁 是猶惡濕而居下也 猶/오히려 -孟子
악 욕 이 거 불인 시 유 악 습 이 거 하 야 유 맹자

恥辱을 싫어하면서 어질지 못함에 生活하는 것은 濕氣를
치욕 생활 습기

싫어하면서 아래에 있는 것과 같다.

惡罪 不惡其人 叢/모일 -孔叢子
악 죄 불 악 기 인 총 공 총 자

죄를 미워하고 그 사람을 미워하지 않는다.

玉不琢 不成器 琢/쫄 -禮記
옥 불 탁 불성 기 탁 예기

玉도 갈지 않으면 器物을 이루지 못한다.
옥 기물

王侯將相 寧有種乎 侯/제후/과녁 -史記
왕후 장상 영 유 종 호 후 사기

임금과 帝侯와 將帥와 宰相이 어찌 種子가 있으리까.
제 후 장수 재상 종자

欲問馬先問牛 -漢書
욕 문 마 선 문 우 한서

馬의 價格을 問하고저 할지면 先으로 牛에 問한다.
마 가격 문 선 우 문

容貌 必端莊 衣冠 必肅整 莊/풀성할 -明心寶鑑
용모 필 단 장 의관 필 숙정 장 명심보감

容貌는 반드시 端整,莊嚴하게 하고, 衣冠은 반드시 嚴肅하고 整然히
용모 단정 장엄 의관 엄숙 정연

한다.

憂患 生於所忽 忽/**소의리할** -說苑
우환 생어소홀 홀 설원

근심은 輕率히 하는 바에서 생긴다.
경솔

右手畵圓 左手畵方 不能兩成 -韓非子
우수회원 좌수화방 불능양성 한비자

오른손으로 동그라미를 그리고 왼손으로 사각형을 그리면 둘 다 이루지 못한다.

No.038

遠親 不如近隣 -五燈會元
원친 불여근린 오등회원

먼 데 있는 親戚이 가까운 이웃만 못하다.
친척

爲高必因丘陵 爲下必因川澤 -孟子
위고필인구능 위하필인천택 맹자

높은 것은 함은 반드시 언덕에 起因하고 낮은 것을 함은 반드시 내자 못에 起因한다.
기인 기인

危邦不入 亂邦不居 邦/**나라** -論語
위방불입 난방불거 방 논어

危險한 나라에 들어가지 않고 어지어운 나라에 살지 않는다.
위험

謂學不暇者 雖暇 亦不能學矣 雖/**비록** 暇/**겨를**
위학불가자 수가 역불능학의 수 가

배움에 틈내지 못한다고 이르는 이는 비록 틈나도 역시 배우지 못한다.

-淮南子
회남자

威而不猛 威/**위엄** 猛/**사나울** -論語
위이불맹 위 맹 논어

威嚴**스러우면서 사납지 아니하다.**
위엄

爲政之要曰公與淸 成家之道曰儉與勤 -明心寶鑑
위정 지 요 왈 공 여 청 성가 지 도 왈 검 여 근 명심보감

政事**를 하는 요점은 말하자면** 公正**과** 淸廉**이요, 집을 이루는 길은**
정사 공정 청렴

말하자면 儉素**와 부지런이다.**
검소

有機械者 必有機事 -莊子
유기 계 자 필 유 기 사 장자

奇妙**한** 機具**가 있는 이는 반드시 기묘한** 計略**이 있다.**
기묘 기구 계략

No.039

有文事者 必有武備 武/**굳셀** -十八史略
유문 사 자 필 유 무 비 무 십팔사략

文化的**인 일이 있는 이는 반드시** 武力的**인** 準備**가 있다.**
문화적 무력적 준비

有福莫享盡 福盡身貧窮 莫/**없을** 享/**누릴** -明心寶鑑
유복 막 향 진 복 진 신 빈 궁 막 향 명심보감

복이 있다고 누리기를 다하지 말라 복이 다하면 몸은 貧窮**하다.**
빈 궁

惟善以爲寶 惟/**생각할** -國語
유 선 이 위 보 유 국어

오직 善만을 寶物로 여긴다.
선 보물

有術則制人 無術則於人 -淮南子
유 술 즉 제 인 무 술 즉 어 인 회남자

學術 技術이 있으면 남을 制裁하고,學術技術이 없으면 남에게
학술 기술 제재 학술 기술

制裁當한다.
제재 당

有志者 事竟成 竟/다할 -後漢書
유지 자 사 경 성 경 후한서

뜻이 있는 이는 일을 이룬다.

意到筆隨 -蘇軾
의 도 필 수 소식

뜻이 이르면 붓은 따른다.

疑事無功 -史記
의 사 무공 사기

의심 하는 일에 공이 없다/의심 하면서 하면 성공하지 못한다.

衣食足則之榮辱 -管子
의식 족 즉 지 영욕 관자

의식이 풍족하면 영예와 굴욕을 안다.

No.040

疑心生暗鬼　暗/**어두울**　-列子
의심 생 암 귀　암　열자

의심하는 마음은 어두운 귀신을 낳는다.

疑人勿使 使人勿疑　使/**하여금**　-金史
의 인 물 사　사인 물 의　사　금사

사람을 의심하면 시키지 말고 사람을 시켰으면 의심하지 말라.

以已之心 度人之心　-明心寶鑑
이 이 지 심　도인 지 심　명심보감

자기의 마음으로써 남의 마음을 헤아린다.

以律知人情 王者之秘道也　-漢書
이 율 지인 정　왕자 지 비 도 야　한서

原理原則**으로써 사람의 실정을 아는 것은** 君王**의 숨겨진** 方法**이다.**
원리 원칙　군왕　방법

履霜堅冰至　-周易
리 상 견 빙 지　주역

서리를 밟으면 굳은 얼음이 온다 서리가 내리면 곧 얼음이 온다 큰 사건은 작은 조짐에서 온다,

以勢交者 勢傾則絶　勢/**기세**　傾/**기울**　-文仲子
이 세 교 자　세 경 즉 절　세　경　문중자

勢力**으로서 사귄 이는** 勢力**이 기울면 끊어진다.**
세력　세력

以儒生 修大道 以文史 曉簿書　-論衡
이 유 생　수 대 도　이 문 사　효 부 서　논형

학자로서 큰 도를 닦고 문서 공무원으로서 문서 장부를 밝힌다.

以人爲鑑　　　　　鑑/거울　-唐書
이 인 위 감　　　　감　당서

사람으로서 거울을 삼는다,

No.041

二人同心 其利斷金 同心之言 其臭如蘭　-周易
이인 동심 기 이 단금 동심 지 언 기 취 여 란　주역

두 사람이 마음을 같이 하면 그 날카로움이 쇠를 자르고 마음을 같이한 말은 그 냄새가 난초와 같다.

以財交者 財盡而交節　-戰國策
이 재 교 자 재 진 이 교 절　전국책

財物**로서 사귄 이는 재물이 다 하면 사람도 끊어진다.**
재물

以指測河　　測/잴　-荀子
이 지 측 하　측　순자

손가락으로서 黃河**를 잰다.**
황하

以責人之心 責己則寡過 以恕己之心 恕人則全文　-明心寶鑑
이 책 인 지 심 책 기 즉 과 과 이 서 기 지 심 서 인 즉 전 문　명심보감

남을 꾸짖는 마음으로서 자기를 꾸짖으면 허물이 적고 자기를 容恕**하는 마음으로써 남을** 容恕**하면 사귐을** 完全**히 한다.**
용서 용서 완전

人皆知以食愈飢 莫如以學愈愚　-說苑
인 개 지 이 식 유 기 막 여 이 학 유 우　설원

愈**/나을** 愚**/어리석을**
유 우

사람은 모두 음식으로써 배고픔을 해결 할 줄은 아나, 배움으로써

어리석음을 낫게 할 줄은 알지 못한다.

引據大義 正之經典 **據/의거할 經/날** -後漢書
인거 대의 정 지 경 전 거 경 후한서

根據**를** 大義**에서 끌어오고** 經典**에서 바로 잡는다.**
근거 대의 경전

Unsplash의Zoltan Tasi

No.042

人無遠慮 必有近憂 -論語
인 무 원려 필 유 근 우 논어

사람이 먼 생각이 없으면 반드시 가까운 근심이 있다.

人生不學 冥冥如夜行 冥/**어두울** -明心寶鑑
인생 불학 명명 여 야 행 명 명심보감

사람이 나서 배우지 않으면 컴컴하기가 밤에 길가는 것과 같다.

人雖至愚 責人則明 雖有聰明 恕己則昏 -明心寶鑑
인 수 지 우 책 인 즉 명 수 유 총명 서 기 즉 혼 명심보감

愚/**어리석을** 聰/**귀밝을** 昏/**어두울**
우 총 혼

사람이 비록 지극히 어리석으나 남을 꾸짖음인즉 밝고 비록 총명이 있으나 자기를 용서함인즉 어둡다.

仁者不憂 知者不惑 勇者不懼 -論語
인자불우 지자불혹 용자불구 논어

惑/**미혹/의심** 懼/**두려워할**
혹 구

어진 이는 근심하지 않고, 아는 이는 誘惑(유혹) **되지 않고 용감한 이는 두려워하지 않는다.**

一目之羅 不可以得鳥 羅/**새그물/벌일** -淮南子
일목 지 라 불가 이 득 조 라 회남자

한 코의 그물로는 새를 얻을 수 없다.

一貧一富 乃知交態 -史記
일 빈 일부 내 지 교 태 사기

한 번 가난하고 한 번 富裕(부유)**하여 봐야 곧** 交際(교제)**의** 狀態(상태)**를 안다.**

一言利人 重值千金 一語傷人 痛如刀割
일언 이인 중치천금 일어상인 통여도할

值/값 傷/상처 割/나눌 -明心寶鑑
치 상 할 명심보감

한 마디 말이 남을 이롭게 하면 중요하기가 천금에 해당 하고 한 마디 말이 남을 상하게 하면 아픔이 칼로 베는 것과 같다

No.043

日月不肯遲 四時相催迫 催/재촉할 迫/닥칠 -陶潛
일월 불긍 지 사시 상 최박 최 박 도잠

세월은 더디 가려하지 않고 사계절은 서로 재촉하여 다가온다.

潛/자맥질할
잠

日月欲明 浮雲蔽之 蔽/덮을 -文子
일월 욕 명 부운 폐 지 폐 문자

해 달은 밝으려 하나 뜬 구름이 가린다.

一葉蔽目 不見泰山 -鷄冠子
일엽 폐목 불 견 태 산 계관 자

한 잎이 눈을 가리면 태산도 보지 못한다.

一人知儉一家富 儉/검소할 -譚子化書
일인 지 검 일가 부 검 담 자 화서

한 사람이 儉素 할 줄 알면 한 집이 富裕하다.
검소 부유

一日難再晨 -陶潛
일일난재신 도잠

하루는 두 번 새벽되기 어렵다.

一日縱敵 數世之患也 縱/늘어질 -左傳
일일 종 적 수 세 지 환 야 종 좌전

하루 적을 놓아준 것이 여러 세대의 근심이다.

一令逆則 百令失 一惡施則 百惡結 -三略
일 영 역 즉 백 령 실 일악 시 즉 백 악 결 삼략

한 명령이 어긋나면 백가지 명령이 어긋나고 한 악이 시작되면 백가지 악이 맺어진다.

No.044

入州里 觀習俗 俗/풍속 -管子
입 주 리 관 습 속 속 관자

고을에 들어가서는 習慣,風俗을 본다. 慣/버릇
습관 풍속 관

子孝雙親樂 家和萬事成 -明心寶鑑
자 효 쌍친 락 가화만사성 명심보감

자식이 孝道 하면 양친이 즐겁고 집안이 和睦하면 온갖 일이 이루어진다.
효도 화목

作舍道傍 三年不成 傍/곁 -後漢書
작사도방 삼 년 불성 방 후한서

집은 길가에 지으면 삼년에도 완성하지 못한다.
/자기 주관없이 남의 말만 들으면 일이 되지 않음.

將欲敗之 必先補之 將欲取之 必姑輿之 姑/시어미 -戰國策
장 욕 패 지 필 선 보 지 장 욕 취 지 필 고 흥 지 고 전국책

장차 敗亡하게 하려면 반드시 먼저 도와주고, 장차 取하려면 반드시 우선 준다.
패망 취

爭名者 於朝 爭利者 於市 -戰國策
쟁 명 자 어 조 쟁리 자 어 시 전국책

名聲을 爭取하려는 이는 朝庭에서, 利益을 爭取하려는 자는
명성 쟁취 조정 이익 쟁취

市場에서 일을 도모한다
시장

積善之家 必有餘慶 -周易
적선 지 가 필 유 여 경 주역

선을 쌓는 집에는 반드시 豊盛한 慶事가 있다,
풍성 경사

積財千金 不如薄藝隨身 **藝/심을** -顏氏家訓
적재 천금 불 여 박 예 수 신 예 안씨가훈

재산 천금을 쌓는 것이 변변찮은 재주가 몸을 따르는 것만 못하다.

Unsplash의KS KYUNG

No.045

漸至佳境　漸/점점　境/지경　-世說新語
점 지 가경　점　경　세설신어

점점 아름다운 경지 이른다.

制治于未亂　-書經
제 치 우 미 란　서경

다스림을 아직 紊亂하지 않을 적에 마련한다. 紊/어지어울
문란　문

種瓜得瓜 種豆得豆　爪/손톱　-　-明心寶鑑
종 과 득 과　종두득두　조　명심보감

오이를 심으면 오이를 얻고 콩을 심으면 콩을 얻는다.

存亡禍福 皆己而已　已/이미　-說苑
존망 화복　개 기 이 이　이　설원

生存,滅亡과 禍,福이 다 자기일 따름이다.
생존　멸망　화 복

從善如登 從惡如崩　崩/무너질　-國語
종 선 여 등　종 악 여 붕　붕　국어

선을 쫓기는 오르는 것 같고 악을 쫓기는 무너지는 것 같다 /선을 하는 데는 노력이 들고 악을 하기는 쉽다.

身有善一言則敗之　-孔子家語
신 유 선　일언　즉　패 지　공자가어

일생동안 선이 있는 것이 한 마디로 곧 무너진다.

罪疑惟輕 功疑惟重　惟/생각할　-書痙
죄의유경　공 의 유 중　유　서경

죄가 疑心되면 오직 가볍고 하고 공이 의심되면 오직 무겁게 한다.
의심

舟非水不行 水入舟則沒 **沒/가라앉을** -說苑
주 비 수 불 행 수입 주 즉 몰 몰 설원

배는 물이 아니면 가지 못하나 물이 배에 들어오면 빠진다.

衆惡之 必察焉 **焉/어찌** -論語
중 악 지 필 찰 언 언 논어

많은 사람이 싫어하더라도 반드시 살핀다.

No.046

知命者 不立乎巖墻之下 **墻/담** -孟子
지 명 자 불 입 호 암 장 지 하 장 맹자

명을 아는 자는 바위나 담 아래에 서지 않는다.

知命者 不惑 **惑/미혹/의심하다** -說苑
지 명 자 불혹 혹 설원

命**을 아는 자는** 誘惑**되지 않는다.**
명 유혹

志於道 據於德 依於仁 **據/의거할** 依**/의지할** -論語
지 어 도 거 어 덕 의 어 인 거 의 논어

道**에 뜻을 두고** 德**에 살고,**仁**에** 依支**한다.**
도 덕 인 의지

知人者智 自知者明 **智/슬기** - 老子
지인 자 지 자지 자 명 지 노자

남을 아는 이는 슬기로우나 스스로 아는 이는 밝다.

智者千慮 必有一失 愚者千慮 必有一得 -史記 **慮/생각할**
지자 천려 필 유 일 실 우자 천려 필 유 일 득 사기 려

愚**/어리석을**
우

슬기로운 이가 천 번 생각함에 한 번 잃는 것이 있고, 어리석은 이가

천 번 생각함에 한 번 얻는 것이 있다.

知彼知己 百戰不殆　彼/**저/저사람** 殆/**위태할**　-孫子
지피지기 백전 불태　피　태　손자

저쪽을 알고 자기를 알면 백번 싸워도 위태롭지 않다.

智慮者 禍福之門戶也　-淮南子
지려 자 화복 지 문 호 야　회남자

智惠.思慮**란 것은** 禍**와** 福**의** 門**이다.**
지혜 사려 화 복 문

智慧出 有大僞　慧/**슬기로울**　僞/**거짓**　-老子
지 혜 출 유 대 위　혜　위　노자

지혜가 나와서 큰 거짓이 있다.

No.047

疾雷不及塞耳 疾/병 塞/변방 -晉書
질뢰 불급 색 이 질 색 진서

빠른 우뢰도 막힌 귀에는 미치지 못한다.

懲惡而勸善 懲/혼날 -左傳
징악 이 권 선 징 좌전

惡**을** 懲戒**하고** 善**을** 勸**한다.**
악 징계 선 권

創業則易 守成則難 創/비롯할 -唐書
창업 즉 이 수성 즉 난 창 당서

事業**을** 創建**함인 즉 쉽지만, 이룬 것을 지키기는 어렵다.**
사업 창건

責人者 不全文 自恕者 不改過 責/꾸짖을 -明心寶鑑
책 인 자 불 전 문 자 서 자 불 개과 책 명심보감

남을 꾸짖는 이는 사귐을 완전히 하지 못하고 스스로 용서 하는 이는 잘못을 고치지 않는다.

千緖萬端 罔有遺漏 緖/실마리 罔/그물 遺/끼칠 -晉書
천 서 만 단 망 유 유 루 서 망 유 진서

천개의 시작과 만개의 끝이 흘리고 새는 것은 없다.

天下昏亂 忠臣乃見 昏/어두울 -史記
천하 혼란 충신 내 견 혼 사기

천하가 어둡고 어지러울 적에 충신이 그제야 나타난다.

靑出於藍而靑於藍 藍/쪽 -荀子
청출어람이청어람 람 순자

푸른빛은 쪽에서 나왔으나 쪽보다 푸르다.

寸而度之 至丈必差 丈/어른 差/어긋날 -淮南子
촌 이 도 지 지 장 필 차 장 차 회남자

치로 재면 길에 이르러 반드시 어긋난다.

逐鹿者不顧兎 逐/쫒을 顧/돌아볼 -淮南子
축록 자 불고 토 축 고 회남자

사슴을 쫒는 이는 토끼를 돌아보지 않는다.

治官莫若平 臨財莫若廉 臨/임할 廉/청렴할
치 관 막 약 평 임 재 막 약 염 임 염

官吏를 다스리는 데는 公平과 같은 것이 없고, 財産에 임할 적에는 淸廉과 같은 것이 없다.
관리 공평 재산 청렴

No.048

治而不忘亂 -周易
치 이 불망 난 주역

다스려짐에서 어지러움을 잊지 않는다.

他山之石 可以攻玉 攻/칠 -詩經
타산지석 가 이 공옥 공 시경

다른 산의 돌도 옥을 다듬을 수 있다/하찮은 것도 쓸모가 있을 수 있다.

怠慢忘身 禍災乃作 怠/게으를 = 慢 -荀子
태만 망 신 화재 내 작 태 만 순자

게을리 몸을 잊으면 화가 곧 일어난다.

泰山不讓土 壞故能成大 讓/사양할 壞/무너질
태산 불 양 토 괴 고 능 성 대 양 괴

泰山은 흙덩이를 辭讓하지 않으므로 能히 큼을 이루었다. -戰國策
태산 사양 능 전국책

破山中賊易 破心中賊難 -陽明全書
파 산 중 적 이 파 심 중 적 난 양명 전서

산 속의 도둑은 쳐부수기는 쉬우나 마음속의 도둑은 쳐부수기 어렵다.

販賤賣貴 家累千金 販/팔 累/묶을 -史記
판 천 매 귀 가루 천금 판 루 사기

천한 것을 사고, 귀한 것을 팔면 집에 천금을 쌓는다.

敗軍之將 不可以言勇 勇/날랠 -史記
패군지장 불가 이 언 용 용 사기

敗한 軍隊의 將帥에게는 勇氣를 말할 수 없다.
패 군대 장수 용기

No.049

彼丈夫也 我丈夫也 吾何畏彼哉 -孟子
피 장부 야 아 장 부 야 오 하 외 피 재 맹자

何/어찌 畏/두려워할 哉/어조사
하 외 재

저자도 사나이요 나도 사나이거늘, 내가 왜 저자를 두려워하겠는가

夏蟲 不可以語冰 -莊子
하 충 불가 이 어 빙 장자

여름 벌레에게는 얼음을 말할 수 없다.

河海 不擇細流 擇/가릴 -戰國策
하해 불 택 세류 택 전국책

강과 바다는 가는 흐름을 가리지 않는다.

學如不及 惟恐失之 惟/**생각할** -論語
학여불급 유공실지 유 논어

배움은 미치지 못하는 것같이 하고(배우고 나서는)오직 잃을까 두려워한다.

學而不思則罔 思而不學則殆 罔/**그물** 殆/**위태할**
학이불사즉망 사이불학즉태 망 태

배우고 생각하지 않으면 헛되고, 생각하고 배우지 않으면 위태롭다./讀書**하고** 思索**하지 않으면 얻는 것이 없고 사색만 하고**
독서 사색

독서 하지 않으면 자기 독단에 빠진다. -論語
논어

寒而乾燥 蟲未曾生 曾/**일쯕** -論衡
한이건조 충미증생 증 논형

차고 마르면 벌레가 생기지 않는다.

No.050

合抱之木 生於毫末 九層之臺 起於累土 千里之 行始於足下
합 포 지 목 생 어 호 미 구 층 지 대 기 어 누토 천리 지 행 시 어 족하

抱/안을 毫/가는털 -論語
포 호 논어

아름드리나무도 털끝에서 났고 구층의 누대도 쌓은 흙에서 시작되었고 천리의 길도 발밑에서 시작한다.

行不由經 經/날,조리 -論語
행 불 유 경 경 논어

길을 감에 지름길로 가지 않는다.

懸牛首 賣馬肉 懸/달 -晏子春秋
현 우 수 매마 육 현 안자춘추

소머리 달아매고 말고기 판다.

賢者 以其昭昭 使人昭昭 昭/밝을 -孟子
현자 이 기 소소 사 인 소 소 소 맹자

賢明**한 이는 그 밝음으로 남도 밝게 한다.**
현명

賢者在位 能者在職 國家閑暇 -孟子
현자 재위 능자 재직 국가 한가 맹자

賢明**한 이가** 地位**에 있고** 有能**한 이가** 職責**에 있으면 나라가** 閑暇**하다.**
현명 지위 유능 직책 한가

刑過不避大臣 賞善不遺匹夫故 矯上之失
형 과 불 피 대 신 상 선 불 유 필 부 고 교 상 지 실

遺/끼칠 匹/필/짝 矯/바로잡을 -荀子
유 필 교 순자

잘못을 벌주는 데 대신을 가리지 않고, 잘함을 상 주는 데 평범한

사나이를 빠뜨리지 않으므로 위의 잘못을 바로 잡을 수 있다.

賢不肖不雜則英傑至 肖/**닮을** 傑**뛰어날** -荀子
현불초 부잡 즉 영 걸 지 초 걸 순자

현명한 사람과 어리석은 사람이 섞이지 않으면 뛰어난 인사가 온다.

螢飛腐草 光浮帳裏之書 螢/**개똥벌레** 帳/**휘장**
형 비 부 초 광 부 장 리 지 서 형 장

반딧불이 썩은 풀에 날지만 빛이 휘장안의 책을 비춘다. -昭明太子-

No.051

好騎者墜 騎/**말탈** 墜/**떨어질** -淮南子
기 자 추 기 추 회남자

말 타기 좋아하는 이는 떨어진다.

好昭人過 以致怨本 致/**보낼** -後漢書
호 소 인 과 이 치 원 본 치 후한서

남의 잘못을 밝히기 좋아하는 것은(그것을)가지서 원한의 근본을 이룬다.

虎之輿羊 不格明矣 輿/**수레** 格/**바로잡을** -史記
호 지 여 양 불 격 명 의 여 격 사기

호랑이와 양은 맞서지 못할 것이 분명하다.

禍莫大於輕敵 -老子
화 막대 어 경 적 노자

화는 적을 가볍게 여기는 것보다 큰 것이 없다.

禍福無門 唯人所召 唯/**오직** 召/**부를** -左傳
화복 무 문 유 인 소 소 유 소 좌전

화와 복은 문이 없고 오직 사람이 부르는 것이다.

禍不妄至 福不徒來 徒/**무리** -史記
화 불 망 지 복 불 도 래 도 사기

화는 망령되게 이르지 않고 복은 그냥 오지 않는다.

No.052

中國 古典 名言,名句

家貧顯孝子 **집이 가난함에** 孝子 **난다.** -明心寶鑑
가빈 현 효 자 효자

家必自毁然後人毁之 國必自伐然後人伐之
가 필 자 훼 연후 인 훼 지 국 필 자벌 연후 인 벌 지

집은 반드시 스스로 망친 뒤 후에 남이 그 집을 망친다. -孟子
맹자

松 -姜淮伯-
송 강회백

當道蒼松翠盖張 虯枝盤屈飽風霜
창송 취 개 장 규 지 반굴 포 풍 상

渠心肯與蓬蒿伍 直欲明堂作棟梁
거 심 긍 여 봉 고 오 직 욕 명당 작 동 량

蒼/**푸를** 虯/**규룡** 渠/**도랑** 蓬/**쑥** 蒿/**쑥** 伍/**대오**
창 규 거 봉 고 오

길가에 이르니 푸른 소나무 장막처럼 덮고
구불구불 서린 가지 풍상을 실컷 맞았구나
너의 마음 쑥과 짝하기 즐겨 하였는가
다만 명당의 큰 기둥과 들보 되기 바라네.

☞姜淮伯(1357恭愍王6~1402太宗2)
강회백 공민왕 태종

高麗後期의 功臣,文臣. 麗末鮮初,高麗(禑王~朝鮮 太宗 때에
고려 후기 공신 문신 려 말 선 초 고려 우왕 조선 태종

活動한 文臣.
활동 문신

No.53

女流 漢詩選 -韓國篇-

三宜堂 金氏
삼 의 당 김씨

朝鮮 正租때 사람,全羅北道 南原 東春里 胎生으로 한동네에 사는
조선 정조 전라북도 남원 동 춘 리 태생

河煜과 生年月日이 같다고 하여 結婚후,詩,文에 能하였고 文集에
하 욱 생년월일 결혼 시 문 능 문집

많은 詩文이 傳해진다.
시문 전

★秋雨 /가을비
추 우

天涯芳信隔 하니 涯/물가 隔/사이뜰
천애 방신 격 애 격

寂寂掩深戶 라 掩/가릴
적적 엄 심 호 엄

永夜鳴梧葉 하니 梧/벽오동
영 야 명 오엽 오

簷端有疎雨 라 簷/처마 疎/트일
첨 단 유 소 우 첨 소

☞임의 소식이 끊이니
쓸쓸히 방문을 닫고 사네

긴 밤 오동잎 지는 소리
처마 끝에는 빗방울 떨어지는 소리.

※이 시는 소식이 끊어져 문을 닫고 있는데, 오동잎이 지고 가랑비는 내리어 쓸쓸한 心情(심정)을 견딜 수 없다는 것을 읊은 것이다.

芳信(방신)/좋은 소식.편지 疎雨(소우)/가랑비.

No.54

★秋夜雨/가을 밤비
추야 우

簷端疎雨響 이 響/울릴
첨 단 소 우 향 향

永夜隔窓鳴 이라
영 야 격 창 명

一枕金屛裏 에 枕/벼게 屛/병풍
일 침 금 병 리 침 병

寒燈夢不成 이
한등 몽불성

☞처마 끝에 낙수물 소리
긴 밤 창밖에서 울리네
혼자 자는 이부자리 속
차가운 등잔 아래 잠이 오지 않네

※이 시는 가을 밤 내리는 빗소리에 잠을 이루지 못하는 여심을 읊은 시이다.

金屛/좋은 병풍을 말함.
금 병

No.55

★秋月 /조각달
추월

中宵一片月 이 宵/밤/야간
중 소 일편 월 소

影入碧窓流 라 碧/푸를
영 입 벽창 류 벽

長安有高客 하니
장안 유 고 객

休照望鄕樓 하라　　　　　樓/다락/망루
휴 조 망향 루　　　　　　루

☞한 밤의 조각달
그림자가 창에 비쳐 흐르네.
서울에 외로운 손이 있으니
望鄕樓에는 비치지 말아다오.
망향 루

※이 시는 내 곁을 떠난 외로운 임이 고향이 그리워서 다락에 올라가 있을 것이니 환히 비치는 저 밝은 달아 그 다락을 비쳐 주어서 그 사람으로 하여금 마음을 괴롭게 하지 말라는 내용이다.

中宵/한밤중 長安/長安은 中國의 地名인데 여기서는 서울 또는어떤
중 소　　　장안　장안　중국　지명

지방 을 놓고 쓴 것임.

望鄕樓/고향을 바라보는 다락, 혹은 다락의 이름.
망향 루

No.56

★秋夜月/달이 밝은데
추야 월

明月出牆頭 하니　　　　牆/담
명월 출 장 두　　　　　장

如盤又如鏡 이라,　　　　盤/소반
여 반 우 여 경　　　　　반

且莫下重簾 하라　　　　簾/발/주렴
차 막 하 중 렴　　　　　렴

恐遮窓間影 이라.　　　　恐/두려울　遮/막을
공 차 창 간 영　　　　　공　　　　차

☞밝은 달이 담 위에 솟았네
소반과 같이 둥글고 거울과 같이 맑구나
저 발을 내리지 말거라
창에 움직이는 그림자를 가릴까 걱정이네.

※이 시는 가을 달의 아름다움을 描寫(묘사)한 것인데, 발을 내리지 않고 창에 어리는 달 그림자를 사랑할 수 있는 詩人(시인)의 뛰어난 情緖(정서)를 느낄 수 있다.

中簾(중렴)/겹으로 된 발.속이 비치지 않게 만든 발을 말함.
窓間影(창간영)/창 사이로 스미는 달 그림자

No.57

★仲秋月(중추월)/달이 비치는데

一月兩地照(일월양지조) 하고
二人千里隔(이인천리격) 이라
願隨此月影(원수차월영) 하여
夜夜照君側(야야조군측) 이라.

仲(중)/버금
側(측)/곁

☞저 달이 두 곳을 비쳐주네
임과 나는 천 리나 멀리 떨어져 있네
원컨대 이 달 그림자를 따라서

밤마다 임의 곁을 비쳐 주었으면

※이 시는 밝게 비추고 있는 달을 서로 멀리 떨어저서 쳐다 보고 있는 안타까운 心情(심정)을 詩思(시사)한 것이다.

千里隔(천리격)/천리나 멀리 서로 떨어저 있음 君側(군측)/그대의 곁, 곧 임의 곁.

No.58

★送春(송춘)/봄을 보내며

思君夜不寐(사군야불매) 하니	寐(매)/잠잘
爲誰對明鏡(위수대명경) -가	誰(수)/누구
小園桃李花(소원도이화) -	園(원)/동산 桃(도)/복숭아나무 李(이)/자두나무
又送一年景(우송일년경) 이라.	景(경)/볕

☞임 생각에 이 밤도 잠을 못 이루니
누구를 위하여 거울을 볼 것인가,
동산에 핀 桃李花(도리화)를 보니 또 일 년을 보내게 되는 구나.

※이 시는 임을 離別(이별)하고 또 봄을 덧없이 보내는 女子(여자)의 心情(심정)을 그린 것이다.

小園(소원)/조그만한 정원 一年景(일년경)/일 년의 경치는 봄이 가면 일 년의 경치가 끝남을 말함

No.59

★揷花/창 밖을 걸으며
삽화

從容步窓外 하니
종 용 보 창 외

窓外日遲遲 라
창외 일 지 지

折花揷玉髢 하니
절화 삽 옥 체

蜂蝶過相窺 라
봉 접 과 상 규

從/쫒을
종

遲/늦을
지

折/꺽을 髢/다리/덧대는가발
절 체

蜂/벌 蝶/나비 窺/엿볼
봉 접 규

☞조용히 창 밖을 걸으니
창 밖의 해도 한가롭구나
꽃을 꺽어 머리에 꽂으니
벌과 나비가 서로 기웃거리네

※이 시는 꽃을 머리에 꽂고 창밖을 걸어가니까 벌과 나비가 깃들고자 엿보고 있다는 것인데 곧 여자의 아름다움을 그린 것이다.

揷花/꽃을 머리에 꽂음 玉髢/구슬처럼 빤짝이는 땋은 머리
삽화 옥 체

過相窺/지나다가 꽃이안닌가 서로 엿봄.
과 상 규

No.60

★城中/성 안에서
성중

城中三萬戶 -
성중 삼 만 호

春物盛繁華(춘물성번화) 라 　　盛(성)/담을 繁(번)/많을 華(화)/꽃

白日家家燕(백일가가연) 이오 　　燕(연)/제비

東風樹樹花(동풍수수화) 라.

☞삼만 호나 되는 성 안에 봄 기운이 넘치네.
한낮에 집집마다 제비가 날고 동풍에 나무 나무마다 꽃이 피었네.

※城中(성중)에 봄이 돌아와 제비들이 날고 꽃들이 滿發(만발)하여 平和(평화)스럽다는 것을 묘사한 것이다.

春物(춘물)/봄의 온갖 것 盛繁華(성번화)/번화한 것이 심하다, 곧 봄기운이 절정에 이른 것을 말함

★淸夜(청야)/맑은 밤에

淸夜汲淸水(청야급청수) 하니 　　汲(급)/길을

明月湧金井(명월용금정) 이라 　　湧(용)/샘솟을

無語立欄干(무어입난간) 하니 　　欄(난)/난간 干(간)/방패

風動梧桐影(풍동오동영) 이라. 　　梧(오)/벽오동 桐(동)/오동나무

☞맑은 밤에 맑은 물을 길어올리니
밝은 달이 샘 속에서 떠올라온다
말없이 欄干(난간)에 서 있으니

바람에 梧桐(오동)나무 그림자가 움직이네.

※이 시는 밝은 달이 샘 속에서 소용돌이 치는 밤에 난간에 기대어 오동잎이 지는 靜寂(정적)인 情景(정경)을 보고 있는 심정을 그린 것이다.

金井(금정)/샘의 뜻임, 金生麗水(금생여수)에서 따온 말임

No.61

★西窓(서창)/서창에서

寂寂空庭上(적적공정상) 에　　寂(적)/고요할

蕭蕭聞葉下(소소문엽하) 이라　　蕭(소)/퉁소

詩思何處多(시사하처다) 요

明月西窓夜(명월서창야) 라.

☞고요한 뜰에서 쓸쓸히 나뭇잎 지는 소리를 듣는다.
詩情(시정)이 어느 곳에 어리어 있는고
밝은 달이 비치는 서쪽 창에 머물러 있네.

※이 시는 落葉(낙엽)이 지는 가을,서쪽 창가에 비치는 달이 아름답다는 것을 읊은 것이다. 寂寂(적적)/고요한 것 蕭蕭(소소)/쓸쓸 한 것.

No.62

★牧笛(목적)/ 원래 뜻은 목동의 피리이나 여기서는 "달이 지는데"

山頭月欲沒(산두월욕몰) 하니 沒(몰)/가라앉다

烟樹遠依依(연수원의의) 라 烟(연)/연기 依(의)/의지할

一聲何處笛(일성하처적) -고 何(하)/어찌 무엇

知有牧童歸(지유목동귀) 라.

☞산에 달이 지는데
煙氣(연기)가 피어 오르네
피리 소리가 어디서 들려 오는가
牧童(목동)이 지나가는 거겠지.

※이 시는 초저녁에 달은 지고,저녁 연기는멀리 피어나는데
목동이 피리를 불고 돌아가는 山村(산촌)의 閑暇(한가)한 情景(정경)을 읊은 것이다.

烟樹(연수)/아지랭이(또는 연기)에 끼어 있는 나무 依依(의의)/멀리 희미하게

보이는 모습.

No.63

★一夜風/바람이 불더니
일야 풍

何處春盡歸 요 — 盡/다될
하처 춘진 귀 — 진

東園一夜風 이라
동원 일야 풍

羅衣窓外出 하여 — 拾/주울
라 의 창 외출 — 습

閒拾落來紅 이라 — 閒/틈 紅/붉을
한 습 락 래 홍 — 한 홍

☞어느 곳으로 봄이 사라져가나
동산에 하루 저녁 바람이 불더니.
비단 옷을 입고 창 밖에 나아가서
떨어지는 붉은 꽃송이를 주워 본다

※이 시는 하룻밤 바람에 다 떨어진 꽃잎을 창 밖을 걸으면서 한 잎 두 잎 주워보는 서글픔을 그린 것이다.
閒拾/한가로이 줍는 것.
한 습

No.64

★黃鳥/꾀꼬리
황조

黃鳥一聲裏 에 — 裏/속
황조 일성 리 — 리

春日萬家閑 이라 — 閑/막을
춘일 만 가 한 — 한

佳人捲羅幙 하니 — 捲/말 幙/막
가인 권 라 막 — 권 막

芳草滿前山 이라　　　　　　　　芳/꽃다울
방초 만 전 산　　　　　　　　　　방

☞꾀꼬리 한 울음소리에
모든 집이 한가하다.
여인이 揮帳을 걷어올리니　　　揮/휘두릴　帳/휘장
휘장　　　　　　　　　　　　　휘　　　　장

아름다운 풀이 앞 산에 파랗다.

※이 시는 봄날 꾀꼬리 울음 소리를 들으며 휘장을 걷고 봄을 느끼고 있는 심정을 읊은 것이다.

佳人/아름다운 사람(여인)
가인

No.65

★黃鸝/꾀꼬리가 우네　　　　鸝/꾀꼬리
황리　　　　　　　　　　　　리

好音來何處 요
호음 래 하처

綿綿又蠻蠻 이라.　　　　綿/이어질　蠻/오랑케/무시
면면 우 만 만　　　　　　면　　　　　만

東風玉窓外 에
동풍 옥 창 외

黃鳥在花間 이라.
황조 재 화 간

☞저 좋은 소리가 어디서 나는가
아름답고 곱구나
동풍이 부는 창 밖에
꾀꼬리가 꽃 속에 있네

※이 시는 꽃이 핀 나무에서 우는 꾀꼬리 소리를 표현한 것 이다.

☺綿綿蠻蠻/꾀꼬리 울음소리를 말한 것임.
면면 만 만

No.66

★春興/봄의 입김
춘흥

春興紗窓幾首詩 요
춘흥 사창 기 수 시

篇篇只自道相思 라.
편 편 지 자 도 상 사

莫將楊柳種門外 하라
막 장 양 유 종 문외

生憎人間有別離 라.
생 증 인 간 유 별 난

興/일
흥

紗/깁　幾/기미
사　기

篇/책　只/다만
편　지

將/장차　楊/버들=柳
장　양　유

憎/미워할
증

☞화창한 봄의 입김은 한 폭의 시
구절마다 임을 그리는 정이 담겼네
문 밖에 버들을 누가 심었는가
살아서 이별이란 슬프기 짝이 없네

※이 시는 봄에 대한 느낌을 쓴 시로 이별을 슬퍼하여 읊은 것이다.

☺幾首詩/몇 수의 시를 지었는가. 道相思/상사(서로 생각함)를 말함.
기 수 시　도 상 사

莫將/가지지 말라 하지 말라.
막 장

★梨花/배꽃
이화

梨花多意向人開 하니
이화 다 의 향인 개

郎未來時春又來 라,
랑 미래 시 춘 우 래

惟有簷前無數燕 이
유 유 첨 전 무 수 연

雙雙飛帶夕陽回 라.
쌍쌍 비 대 석양 회

郎(랑)/사나이
惟(유)/생각할 簷(첨)/처마 燕(연)/제비
雙(쌍)/쌍 回(회)/돌

☞하이얀 배꽃이 다정하게도 피었구나.
임은 오지 않는데 봄은 또 오는구나.
처마 끝에 무수히 나는 제비들이
지는 햇빛에 쌍쌍히 돌아오네.

※이 시는 봄은 해마다 돌아와 배꽃도 多情(다정)하게 피고 제비도 쌍쌍이날아오는데 임은 어찌 오지 않는가 하고 歎息(탄식)한 것이다.

歎(탄)/읊을 ☺無數燕(무수 연)/많은 제비

No.67

★榴花/석류 꽃
유 화

日場窓外有薰風 하니 　　薰/향풀
일 장 창외 유 훈 풍 　　훈

安石榴花個個紅 이라.
안석 류 화 개 개 홍

莫向門前投瓦石 하라 　　投/던질
막 향 문전 투 와석 　　투

黃鳥只在綠陰中 이라. 　　綠/초록빛
황조 지 재 록 음중 　　록

☞긴 여름날 창 밖에 따스한 바람이 분다
뜰의 석류꽃도 가지마다 붉게 피었다
문 앞에서 돌을 던지지 말 것을
꾀꼬리는 저 먼 숲속에서 울고 있으니

※이 시는 석류꽃이 피는 季節(계절)에 薰風(훈풍)이 불어오고 꾀꼬리가 綠陰(녹음) 중에서 우는 초여름의 情景(정경)을 읊은 것이다. ☺榴花(유화)/석류꽃 黃鳥(황조)/꾀꼬리

★紗窓/해는 저무네
사창

人靜紗窓日色昏 　　靜/고요할 　昏/어두울
인 정 사창 일색 혼 　　정 　혼

落花滿地掩重門 　　掩/가릴
낙화 만지 엄 중 문 　　엄

欲知一夜相思苦
욕지 일야 상사 고

試把羅衾檢涙痕 把/잡을 檢/봉합 痕/흉터
시 파 라 금 검 누흔 파 검 흔

☞사람의 발길도 끊긴 창 밖에 해도 저무네
꽃이 뜰 위에 지는데 문도 닫혀 있네.
한밤 임을 그리는 정을 알고 싶은가
비단이불에 얼룩진 눈물을 보고 싶은가

※이 시는 저녁에 눈물을 흘리며 임을 그리는 쓰라린 심정을 그린 것이다.

☺重門(중문)/밖의 문을 건너서 있는 또 하나의 문인데 여기서는 안방 문을 말한다. 涙痕(누흔)/눈물 자국.

No.68

★玄鳥語(현조어)/제비가 말하네

一雙玄鳥語春朝 하니
일 쌍 현 조어 춘조

花照紅窓影寂寥 라 寂/고요할 寥/쓸쓸할
화 조 홍 창 영 적 료 적 료

慵起屛間看石鏡 하니 慵/게으를
용 기 병 간 간 석경 용

玉漢今日爲誰凋 오 誰/누구 凋/시들
옥 한 금일 위 수 조 수 조

☞한 쌍의 제비가 봄날이 밝았다고 말하네
꽃이 東窓(동창)에 어른거리니 햇빛이 붉게 비치네
잠자리에서 일어나 屛風(병풍) 사이 거울을 보네

고운 이 얼굴이 오늘도 임 생각에 야위겠지

※이 시는 제비가 지저귀고 꽃이 핀 봄날. 거울을 대하고 보니 임 생각에 야위어가는 자신의 모습이 한스럽다는 것을 表現(표현)한 것이다.

☺玄鳥(현조)/제비 石鏡(석경)/돌 거울

玉漢(옥한)/구술처럼 맑은 호수,곧 맑은 얼굴을 말함.

No.69

★燕子(연자)/제비

楊柳陰中晝掩門(양유음중주엄문) 하니 — 晝(주)/낮 掩(엄)/가릴

東園春晩百花繁(동원춘만백화번) 이라. — 晩(만)/저물 繁(번)/많을

雙雙燕子低飛處(쌍쌍연자저비처) 에 — 低(저)/밑

獨有愁人暗斷魂(독유수인암단혼) 이라. — 魂(혼)/넋 暗(암)/어두울

☞버들 숲 짙은 그늘 한낮에도 문이 닫혀 있네
늦은 봄 동산에는 온갖 꽃이 피어 있네
제비는 뜰에 쌍쌍이 나는데
홀로 한 여인이 애태우고 있네

※버들은 푸르고 百花(백화)가 滿發(만발)하고, 제비가 날고 있는 봄날,
시름으로 세월을 보내는 심정을 그린 것이다.

☺晝掩門(주 엄문)/찾아오는 사람이 없으니까 한낮에도 문을 닫고 있음을 말함

No.70

暗斷魂(암 단혼)/마음속이 아픔.

★細雨(세우)/가랑비

細雨濛濛春欲晩(세우 몽몽 춘 욕 만) 하니
風吹減却桃花片(풍 취 감각 도화 편) 이라.
飛來飛去落誰家(비래 비 거 낙 수 가) 요.
洛陽兒女長相怨(낙양 아 여 장 상 원) 이라.

濛(몽)/가랑비올 晩(만)/늦을
吹(취)/불 却(각)/물리칠 桃(도)/복숭아나무
誰(수)/누구
洛(낙)/강이름 怨(원)/원망할

☞가랑비가 부슬부슬 이 봄도 저무는데
바람이 불어 복사꽃이 다 지는구나
저 흩날리는 꽃이 누구의 집에 떨어질 것인가
낙양 땅 처녀들이 지는 꽃을 보고 슬퍼하네

※이 시는 봄이 가면 예쁜 얼굴이 늙어진다는 것을 슬퍼한 시이다,
劉廷芝(유 정 지)의(洛陽城東桃李花(낙양 성 동 도리화) 는,飛來飛去落誰家(비래 비 거 낙 수 가)요,
洛陽女兒惜顔色(낙양 여아 석 안 색) 하여,行逢落花長歎息(행 봉 낙화 장탄식) 호라는 싯구를 그대로

引用(인용)하여 세월이 흐름에 따라 인생이 늙어감을 탄식한 것이다.

☺濛濛(몽몽)/이슬비처럼 내리는 모습.

減却(감각)/감하여 물리침,곧 가지에서 떨어지게 하여 버림.

洛陽(낙양)/중국의 지명인데 당나라 시인 劉廷芝(유정지)의 代悲(대비)白頭翁(백두옹)에서 나온 싯구를 인용한 것임

dae jeung kim

No.71

★弄笛/피리
농 적

弄/희롱할
농

五更明月滿西城 하니
오경 명월 만 서 성

城上何人弄笛行 -고.
성상 하인 농 적 행

可憐孤獨深閨夜 에
가련 고독 심규 야

憐/불쌍히여길 閨/규방
련 규

正是愁人夢不成 이라.
정 시 수인 몽불성

愁/시름
수

☞깊은 밤 밝은 달이 서쪽 성을 휘영청 비치네
성 위에서 그 누가 피리를 불고 가는가
아 외로운 이 깊은 밤에
시름으로 잠을 이루지 못하고 있네

※이 시는 달 밝은 밤에 피리소리는 들리는데 안방에서 잠을 이루지 못하는 가련한 신세를 한하여 읊은 것이다.

☺弄笛/피리를 부는 것을 말한 것임 深閨/깊은 방, 안방을 말함.
농 적 심규

★洞房/임에게
동방

洞/골
동

女兒柔質易傷心 하니
여아 유질 이 상 심

柔/부드러울 易/쉬을
유 이

所以相思每發吟 이라.
소이 상사 매 발 음

吟/읊을
음

大丈夫當身在外 하여.
대장부 당신 재외

回頭莫念洞房深 하라. 洞/골
회두 막 염 동방 심 동

☞여자의 가냘픈 몸이라 마음도 여리다.
임을 그리는 마음 시를 읊조린다.
대장부 사나이는 밖에서 일하는 것
안방의 여자를 생각지 말아라.

※이 시는 여자의 부드러운 기질은 임이 생각나면 시를 읊조리고 있지만 남자는 큰 뜻을 품고 떠나가 있으면 여자를 생각지 말라는 내용이다.

☺柔質/여자의 부드러운 기질 發吟/시를 읊조림
유질 발 음

在外/밖에 있음,여자와 떨어져서 딴 지방에 있음.
재외

No.72

★月夜/밝은 달
월야

滿天明月滿園花 -
만 천 명 월 만 원 화

花影相添月影加 라.　　　添/더할
화영 상 첨 월영 가　　　첨

如月如花人對坐 하니
여월 여 화 인 대 좌

世間榮辱屬誰家 오.　　　榮/꽃　辱/욕되게할
세간 영욕 속 수 가　　　영　욕

☞하늘에는 밝은 달 동산에는 활짝 핀 꽃
꽃 그림자에 달그림자가 더욱 아름답네
달과 임을 대하고 있으니
세상의 뜬생각이 스스로 없어지네

※이 시는 달이 밝고,꽃이 피어 있는데 달 그림자와 꽃 그림자를 맞대고 앉아있으니 모든 世俗的(세속적)인 것이 사라져버린다는 것을 그린 것이다.

☺榮辱(영욕)/영화스러움과 욕됨　屬誰家(속 수 가)/누구의 집에 속한 것인가.

No.73

★靑銅鏡/거울
청동 경

雲母窓前草索妻 하니　　　索/찾을
운모 창전 초색 처　　　색

相思一夜夢魂迷 라.　　　迷/미혹
상 사 일 야 몽혼 미　　　미

朝來坐對靑銅鏡 하니
조 래 좌 대 청동 경

愁裏蛾眉擺不齊 라.　　　蛾/나방　擺/열릴　齊/가지런할
수 리 아미 파 부 제　　　아　　파　　제

☞밝아오는 창 밖에 풀잎도 파릇하구나.
잠을 깬 머리 임이 아른거리네.
아침에 일어나 거울을 보니
수심 속에 눈썹이 젖어 있네.

※이 시는 임 생각으로 수심에 잠겨 잠을 이루지 못하였기 때문에 눈썹도 꺼칠하다는 것을 표현한 것이다

☺雲母(운모)/유리의 대용으로 쓰이는 백색 흑색의 화강암, 곧 환하게 비치는 것을 말함.
靑銅鏡(청동 경)/청동의 거울　蛾眉(아미)/여자의 예쁜 눈썹, 누에 나방의 눈썹처럼 아름다운 눈썹. 擺不齊(파 부 제)/꺼칠하여 가지런하지 않음.

No.74

★相思夢(상사몽)/밤이 깊어가네

夜色迢迢近五更 하니　　　迢/멀
야색 초 초 근 오경　　　초

滿庭秋月正分明 이라.
만정 추월 정 분 명

凭衾强做相思夢 하여 　　凭/기댈 　做/지을
빙 금 강 주 상사몽 　　빙 　주

纔到郞邊却自驚 이라. 　　纔/겨우 　却/물리칠
재 도 랑 변 각 자 경 　　재 　각

☞밤이 깊어가네 하염없이 밤이 깊어가네.
밝은 가을달이 뜰에 비치네
이불을 덮고 꿈이나 꾸어볼까
임의 곁에 이르다가 꿈이 깨어졌네

※이 시는 깊은 밤 이불에 기대어 꿈속에서 임을 만나보려고 하는데 겨우 임을 만날까 할 즈음에 꿈에 깨여 임을 만나지 못 하였다는 서글픔을 표현한 것이다.

☺迢迢/아득한 모습 멀고 아득한 것. 五更/깊은 밤.凭衾/이불에 기댐.
초 초 　오경 　빙 금

★孔雀屛/공작병풍 　　雀/참새 　屛/병풍
공작 병 　　작 　병

孔雀屛風翡翠衾 이 　　孔/구멍 　翡/물총새=翠
공작 병풍 비취금 　　공 　비 　취

一窓夜色正沉沉 이라. 　　沉/가라앉을
일 창 야 색 정 침 침 　　침

相思惟有靑天月 하니 　　惟/생각할
상사 유 유 청천 월 　　유

應照人間兩地心 이라. 　　應/응할 　照/비칠
응 조 인 간 양 지 심 　　응 　조

☞孔雀 屛風을 치고 翡翠 이불을 덮었네.
공작 병풍 비취

창에 어린 밤이 쓸쓸히 깊어가네. 그리운 정을 저 달이 비쳐 주리.
떨어져 있는 두 마음을 저 달이 비쳐 주리.

※이 시는 깊은 밤에 비치는 저 달이 떨어져 있는 두 사람의 마음을 비쳐 주고 있을 것이라고 읊었다.

☺翡翠衾(비취금)/비취 비단의 이불 沉沉(침침)/어둡고 침침한 것

兩地心(양지심)/양쪽에 헤어져 있는 두 사람의 마음.

지은이 桂生(계생) 或(혹)은 梅窓(매창)으로 불리우는 扶安(부안) 妓生(기생), 本名(본명)은 香今(향금)으로 詩(시)에 能(능)하였으며 作品集(작품집)으로 梅窓集(매창집)이 있으나 傳(전)하지 않고 詩(시)가 여러편 있다.

jujube

No.74

★東風
동풍

東風一夜雨 에
동풍 일야 우

柳與梅爭春 이라　　　爭/다툴
유 흥 매 쟁 춘　　　쟁

對此最難堪 이로소니　　　堪/견딜
대 차 최 난감　　　감

樽前惜別人 이라.　　　樽/술통　惜/아낄
준 전 석 별인　　　준　석

☞동풍이 불어온 밤비에
비들과 매화가 피고 있네
꽃을 보기도 안타까운데
술잔으로 離別을 슬퍼하네
이별

※이 시는 버들과 매화가 밤비에 한창 피고 있는 자리에서
술잔을 앞에놓고 이별을 슬퍼하는 心情을 表現한 것이다.
심정 표현

☺爭春/봄을 다투어 한다.서로 시새워서 꽃이 핀다.
쟁 춘

樽前/술통 앞(술동이 옆에서).
준 전

No.75

★三月
삼월

東風三月時 에
동풍 삼월 시

處處落花飛 라.
처처 낙화 비

緣綺相思曲 이로소니　　緣/가선　綺/비단
연 기 상사곡　　연　기

江南人未歸 라.
강남인 미귀

☞동풍이 부는 삼월에
곳곳마다 지는 꽃이 날린다.
상사곡을 타고 있으나
한 번 간 사람은 돌아오지 않네.

※이 시는 동풍이 부는 삼월 꽃잎이 지고, 芳草(방초)는 파릇파릇 하여 임 생각이 懇切(간절)한데 한 번 떠나간 임은 돌아오지 않는다는 것이다.

☺綠綺(녹기)/푸른 무늬,푸른 잎(풀).

No.76

★針線
침선

春冷補寒衣 하니　　補/기울
춘 냉 보 한 의　　보

紗窓日照時 라.　　紗/깁
사창 일조 시　　사

低頭信手處 에　　低/밑
저두 신수 처　　저

珠淚滴針絲 라.　　滴/물방울.
주루 적 침 사　　적

☞봄이 차가워 겨울옷을 꿰매는데
창에 햇빛이 비치는 구나.
고개를 숙여 손을 뻗쳐 꿰매는데
눈물방울이 실에 떨어지네

※이 시는 추운 봄날 창가에 앉아서 머리를 숙여 손을 뻗쳐 가며 바느질을 하는데 님 생각으로 구슬 같은 눈물이 떨어지는 정경을 읊은 것이다.

☺信手處(신수처)/손을 뻗치는 곳, 손을 뻗쳐가면서 바느질을 하는 것을 말함

珠淚(주루)/구슬 같은 눈물.

★傷春(상춘)

不是傷春病(불시상춘병) 이라 　 傷(상)/상처

只因憶玉郎(지인억옥랑) 이라. 　 只(지)/다만 因(인)/인할 郎(랑)/사나이

塵寰多苦累(진환다고루) 하니 　 寰(환)/기내 累(루)/묶을

孤鶴未歸情(고학미귀정) 이라.

☞이것은 봄이 감을 슬퍼하는 것이 아니라
임을 그린 탓이네
이 세상 괴로움도 많아
모진 목숨 죽고만 싶네
※이 시는 죽지 못하여 사는 인생의 그리움을 그린 것이다

☺塵寰/티끌 세상. 孤漏/고생,고생으로 얽매어 있음. 孤鶴/외로운 학. 외롭게 날아가는 학이 죽음의 길로 떠나는 것을 象徵的으로 표현
진환 고루 고학 상징적

No.77

★江南曲
강남곡

含情還不語 하니 함정환불어	含/머금을 함	還/돌아올 환
女夢復如痴 라. 여몽부여치	復/돌아올 부	痴/어리석을 치
綠綺江南曲 을 록기강남곡	綠/초록빛 록	綺/비단 기
無人問所思 라. 무인문소사		

☞그리는 정을 무어라 말 할까
꿈을 꾸는 듯 바보가 되었네
임 그린 가락을 듣고도
이 시름을 묻는 이 없네

※이 시는 마음으로만 생각하고 말을 하지 않으니 천치 바보 로 취급을 받지만 임 그리는 생각을 누구에게 하소연할 수도 없다는 것을 쓴 것이다.

☺含情/정을 머금고,마음으로 정을 느끼고.
함정

復如痴/다시 천치와 같음 無人問所思/사람에게 생각한 바를 물을 데가 없음.
부여치 무인문소사

No.78

★夢
몽

一片彩雲夢 이　　　　　彩/무늬
일편 채운 몽　　　　　채

覺來萬念差 라.　　　　差/어긋날
각래 만염 차　　　　　차

陽臺何處是 요
양대 하처 시

日暮暗愁多 라.　　　　幕/막
일 막 암 수 다　　　　막

☞한 조각 달콤한 꿈
깨고 나니 모든 것이 물거품.
陽臺는 어느 곳에 있는가.
양대
해가 저무니 시름이 더해 가네.

※이 시는 아름다움 꿈이 깨고 나니 물거품처럼 사라져 대체 西施가
서시
놀았다는 양대가 어는 곳에 있는가, 그런 곳에서 놀지 못하는 자신이 한스럽다고 하였다.

☺彩雲夢/아름다운 꿈　陽臺/서시가 놀던 곳
채운 몽　　　　　　　양대
暗愁/속으로만 가지고 있는 근심.
암 수

No.79

★松柏
송백

松柏芳盟日 에　　柏/나무이름　芳/꽃다울
송백 방 맹 일　　백　방

思情與海深 이라.
사 정 여 해심

江南靑鳥斷 하니
강남 청조 단

中夜獨傷心 이라.
중야 독 상 심

☞송백처럼 변치 않겠다고 맹세하던 날
사랑하는 정은 바다처럼 깊었네
한 번 떠난 임 소식이 없으니
깊은 밤에 홀로 울고 있네

※이 시는 임과 굳게 약속을 맺었지만 소식이 없어 홀로 애태우고 있는 심정을 그린 것이다.

☺松柏/소나무와 잣나무는 굳은 절개를 뜻함.　靑鳥/파랑 새.
송백　청조

No.80

★江上臺/亭子
강상 대 정자

四野秋江好 하니
사야 추강 호

獨登江上臺 라.
독 등 강 상 대

風流何處客 이
풍류 하처 객

携酒訪余來 이오. 携/끌 訪/찾을 余/나/자신
휴 주 방 여 래 휴 방 여

☞들에 가을빛이 좋아서
홀로 정자에 올랐네.
어느 風流客이 술을 들고 찾아올까
풍류 객

※이 시는 다락에 올라서 가을 풍경을 즐기고 있는데, 이런때 어떤 풍류객이 술을 들고 나를 찾아와 주었으면 하는 내용이다. ☺四野/사방의 들 온누리
사야

★庄土/廟堂 庄/농막 廟/사당
장토 묘당 장 묘

悖子賣庄土 하니 悖/어그러질
패자 매 장 토 패

庄土漸扯裂 이라. 漸/점점 扯/찢어버릴 裂/찢을
장토 점 차 열 점 차 열

不惜一庄土 나 惜/아낄
불 석 일 장토 석

只恐宗祝絶 이라. 只/다만 宗/마루
지 공 종축 절 지 종

☞못된 자식 廟沓을 팔아먹으니
묘 답
묘답이 점점 떨어져 나가네.
묘답이 줄어지는 것은 아깝지 않지만
조상의 祭祀가 끊어질까 걱정이네.
제사

※이 시는 못된 자손이 田畓(廟沓)을 팔아먹어 조상의 제사를 이어
전답 묘 답

받지 못할 것을 걱정하여 쓴 것이다.

☺悖子(패자)/못된 자식 잘못 풀린 아들. 庄土(장토)/廟沓(묘답),전장(논밭)

No.81

★金刀(금도)/金粧刀(금장도) 粧(장)/단장할

故人交金刀(고인교금도) 하니

金刀多敗裂(금도다패열) 이라.

不惜金刀盡(불석금도진) 이나

且恐交情絶(차공교정절) 이라. 且(차)/또/잠깐

☞임한테 받은 金粧刀(금장도)

그 금장도가 이지러졌네
금장도가 이지러진 것은 아깝지 않지만
임의 정이 끊어질까 걱정이네

※이 시는 옛 임이 준 금장도가 이지러졌는데, 이것으로 인하여 서로의 정이 끊어질까 두렵다는 것을 쓴 것이다.

☺故人(고인)/옛사람, 옛님 金刀(금도)/금으로 만든 칼,金粧刀(금장도).

No.82

★羅衫/비단 옷
나 삼

醉客挽羅衫 하니
취객 만 라 삼

羅衫隨手裂 이라.
라 삼 수 수 열

不惜一羅衫 이나
불 석 일 라 삼

但恐恩情絶 이라.
단 공 은정 절

衫/적삼
삼

挽/당길
만

裂/찢을
열

惜/아낄
석

但/다만
단

☞술에 취한 임 비단 옷을 잡았네
비단 옷이 손길 따라 찢어졌네
비단 옷이 찢어진 것은 아깝지 않지만
임의 정이 끊어질까 걱정이네

※이 시는 술에 취한 임이 내 치마를 잡어 당겨 찢어졌는데 치마가 찢어진 것은 아깝지 않지만 혹 정이 끊어질까 두렵다는 것이다.

☺隨手裂/손이 닿자 찢어짐.
수 수 열

No.83

★風說/뜬소문
풍설

誤被浮虛說 하고
오 피 부 허설

還爲衆口喧 이라.
환 위 중구 훤

誤/그리칠
오

被/이불
피

喧/의젓할
훤

空將愁與恨 하여
공 장 수 여 한

抱病掩紫門 이라. 抱/안을 掩/가릴 紫/자주빛
포병 엄 자문 포 엄 자

☞그릇된 소문이 떠도니
사람들의 입에 말이 오가네
부질없는 시름과 한 때문에
속을 태우며 문을 닫고 있네

※이 시는 공연히 뜬소문이 여러 사람의 입에 오르내리기 때문에 마음이 상하여 문을 닫고 있다는 것을 그린 것이다.

☺浮虛說/믿을 수 없는 헛된 말,뜬 소문
부허 설

衆口喧/여러 사람의 입에서 지껄이는 말.
중구 훤

ksa61011

No.84

★夢罷/꿈을 깨니 罷/방면할
몽 파 파

夢罷愁風雨 하니
몽 파 수 풍우

沉沉行路難 이라. 沉/가라앉을
침 침 행로 난 침

慇懃樑上燕 이 慇/괴로워할 懃/은근할 樑/들보
은근 양 상 연 은 근 양

何日喚人還 -고. 喚/부를
하일 환 인 환 환

☞꿈을 깨니 비바람 소리
어지러운 세상 살기도 힘드네.
다정한 들보에 앉은 제비여
어느 날이나 내 임을 불러 올래.

※이 시는 비는 내리고 험한데 임이 어떻게 돌아올 것인가를
제비에게 하소연 하고 가서 데려오라고 부탁하였다.

☺行路難/가는 길이 험함.喚人還/사람을 불러서 같이 돌아올 것인가
행로 난 환 인 환

No.85

★春愁/시름
춘수

長堤春草色凄凄 하니 堤/독 凄/쓸쓸한
장제 춘초 색 처 처 제 처

舊客還來思欲迷 라. 迷/미혹할
구 객 환래 사 욕 미 미

故國繁華同樂處 에　　　繁/많을
고국 번화 동락 처　　　번

滿山明月杜鵑啼 라.　　　杜/팥배나무 鵑/두견이
만 산 명월 두견 제　　　두　　　견

☞언덕에 봄 풀도 빛을 잃었네
옛 임이 찾아온 것이 마음이 아프네
아득한 옛날 함께 놀던 곳에
온 산에 달은 밝고 소쩍새만 울고 있네

※이 시는 옛날 사랑하던 사람이 찾아와서 입장이 난처하다는 것을그린 것인데. 옛날 그 사람과 즐겁게 놀던 곳에 소쩍새만 슬피 울고 있으니 더욱 마음이 아프다는 것을 쓴 것이다.

☺凄凄/바람이 차가운 것 舊客/옛적에 사랑한 사람, 옛 친구(옛 애인)
처처　　　구 객

No.86

★離懷/離別　　　懷/품을
이회 이별　　　회

離懷悄悄掩中門 하니　　　懷/품을 悄/근심할
이회 초초 엄 중 문　　　회　　초

羅袖無香滴淚痕 이라.　　　袖/소매 痕/흉터
라 수 무 향 적 누흔　　　수　　흔

獨處深閨人寂寂 하니　　　閨/규방 寂/고요할
독처 심규 인 적 적　　　규　　적

一庭微雨鎖黃昏 이라.　　　微/작을 鎖/쇠사슬
일 정 미우 쇄 황혼　　　미　　쇄

☞이별이 슬퍼서 문을 닫고 사네
향기없는 비단 옷소매 눈물이 아롱졌네.
안방에 묻혀 있는 이 몸을 누가 찾아오리
뜰에 내리는 궂은 비에 해는 저물어가고.

※이 시는 離別한 슬픔을 안고서 寂寂한 안방에서 눈물로 歲月을
이별 적적 세월
보내는 心情을 쓴 것이다.
심정

☺悄悄/근심스런 모습 鎖黃昏/어둠으로 갇힘.
초초 쇄 황혼

★竹院/대숲에
죽원

竹院春深鳥語多 하니 院/담 彈/탄알
죽원 춘 심 조어 다 원 탄

瑤琴彈罷相思曲 이라. 瑤/아름다운옥 琴/거문고
요금 탄 파 상사곡 요 금

殘粧含淚捲窓紗 하니 捲/말 紗/깁
잔 장 함 누 권창 사 권 사

花落東風燕子斜 라. 斜/비낄
화 락 동풍 연자 사 사

☞대숲에 봄이 저물어가니 새 소리도 요란하네
거문고로 상사곡이나 타고 마음을 달래보네.
눈물에 얼룩진 얼굴 휘장을 걷으니
꽃은 지고 東風에 제비가 날고 있네.
동풍

※이 시는 대숲 속에서 거문고로 相思曲을 타고 나서 눈물을 머금고
상사곡
揮帳을 걷고 보니 꽃은 지고 제비가 동풍에 날고 있다는 것이다.
휘장

☺竹院/대나무 숲 속에 있는 집 彈罷/거문고로 상사곡을 타고 나니
죽원 탄 파

No.87

★聽鷄/새벽 닭
청 계

瓊苑梨花杜字啼 하니　瓊/옥　苑/나라동산
경 원 이화 두 자 제　경　원

滿庭蟾影更凄凄 라.　蟾/뚜거비　凄/쓸쓸할
만정 섬 영 갱 처처　섬　처

相思欲夢還無寢 이라　寢/잠잘
상사 욕 몽 환 무 침　침

起倚梅窓聽五鷄 라,　倚/의지할　聽/들을
기 의 매창 청 오 계　의　청

☞배꽃이 핀 뒤안길에서 소쩍새가 우네
뜰에 어린 달 그림자도 슬프네
임을 꿈에서 만나보고 싶으나 잠이 오질 않네,
일어나 창에 기대어 새벽 닭 우는 소리 듣네

※이 시는 배꽃이 피고, 소쪽새가 울고 달 그림자가 서글픈 밤에 잠을 이룰수가 없어 창에 기대고 새벽 닭 우는 소리를 듣는다는 내용이다.

☺瓊苑/아름다움 정원. 蟾影/달 그림자. 五鷄/밤 오경에 우는 닭, 새벽 닭.
경 원　섬 영　오 계

No.88

★山影/산 그림자
산영

參差山影倒江波 하니　差/어긋날　倒/넘어질
삼 차 산영 도 강 파　차　도

垂柳千絲掩酒家 라,　　垂/드리울　掩/가릴
수류 천 사 엄 주 가　　수　엄

輕溟風生眠鷺起 하니　　溟/어두울　鷺/해오라기
경 명 풍생 면 로 기　　명　로

漁舟人語隔烟霞 라,　　烟/연기　霞/놀
어 주 인 어 격 연 하　　연　하

☞일렁이는 산 그림자가 바다에 잠겼네
실버들 드리운 곳에 술집이 있네.
강물에 바람이 일어나니 해오라기가 날아가네
어부들의 말소리가 아지랑이 속에 사라지네.

※이 시는 산 그림자가 강에 어리고 버들숲 속에 술집이 있으며 바다에서는 바람에 백로가 날아가고 어부들은 안개 낀 건너 편에서 도란거리고 있다는 강마을의 풍경을 그린 것이다.

☺參差/가지런 하지 않는 모양.　輕溟/가벼운 바다의 물결.
참차　경 명

No.89

★客聞桂生詩以挑之即次韻/배운 것이 없지만
객 문 계 생 시 이 도 지 즉 차운

挑/휠　即/곧　韻/운
도　즉　운

平生不學食東家 나
평생 불학 식 동가

只愛梅窓日影斜 라.　　斜/비낄
지 애 매창 일영 사　　사

詞人未識幽問意 하고　　詞/말씀　幽/그윽할
사인 미 식 유 문 의　　사　유

持點行雲枉自多 라,　　持/가질　枉/굽을
지점 행운 왕 자 다　　지　왕

☞배운 것이 없어 돌아다니며 살지만
매화꽃 핀 창의 해 그림자를 사랑하네.
사람들이 내 그윽한 심정을 알지 못하고
떠가는 구름을 가리키며 비웃고 있네.

※이 시는 어떤 사람이 매창이 시를 잘한다는 소문을 듣고 시를 지어 가지고 와 만나니 매창이 즉석에서 그 시의 韻(운)(운자)을 따서 지은 시다 내용은 내가 배우지 못한 사람이 나 梅窓(매창)(자신의 호)에 기우는 달 그림자를 사랑하는데 사람들은 깊은 내 심정을 알지 못하고 미쳤다고 한다는 내용이다.

☺食東家(식동가)/동쪽 집에서 먹고 지냄,東家食西家宿(동가식서가숙)의 뜻에서 온 말.
指點(지점)/손으로 가리키고 고개를 끄덕임.

No.90

★千山萬樹(천산만수)/산마다 나무마다

千山萬樹葉初飛 하니
천 산 만 수 엽 초 비

雁呌南天帶落暉 이라.
안 규 남천 대 낙휘

長笛一聲何處是 요
장적 일성 하처 시

楚鄕歸客淚添衣 라.
초향 귀 객 누 첨 의

葉(엽)/잎
呌(규)/부르짖을 暉(휘)/빛
笛(적)/피리
楚(초)/모형/나라이름

☞산마다 나무마다 잎이 지는데

기러기는 남쪽으로 날아가며 우네
서글픈 피리 소리는 어느 곳에서 들려 오는가
고향에 돌아가고 싶은 나그네 옷깃을 적시네

※이 시는 나뭇잎이 지고 석양에 기러기는 끼룩끼룩 소리를 내며 날아가는데 구슬픈 피리 소리를 듣고 나그네들이 눈물 짖고 있다는 내용이다.

☺落暉(낙휘)/해가 지는 저녁놀. 楚鄕(초향)/초나라는 중국의 나라 이름인데, 여기서는 어떤 마을 (楚(초)나라 마을)을 상징하여 쓴 것임.

No.91

★玉簞秋/가을 밤 簞/대광주리
옥 단 추 단

雨後凉風玉簞秋 에 凉/서늘할 簞/대광주리
우후 양 풍 옥 단 추 양 단

一輪明月掛樓頭 라. 掛/걸
일륜 명월 괘 루 두 괘

洞房終夜寒蛩響 하니 蛩/메뚜기 響/울릴
동방 종야 한 공 향 공 향

擣盡中腸萬斛愁 라. 擣/찧을 斛/휘(量의)
도 진 중 장 만 곡 수 도 곡 양

☞비가 개니 서늘한 바람이 가을이로구나
둥근 달이 다락 위에 떠 있네.
밤새도록 우는 귀뚜라미는
내 가슴 쌓인 슬픔을 도려내는구나

※이 시는 싸늘한 바람이 불고 달이 밝은데 밤이 새도록 귀뚜라미는 내 가슴에 쌓인 근심을 울어대고 있다는 내용이다.

☺玉簞秋/구슬처럼 맑은 가을 寒蛩響/추운날 귀뚜라미가 운다
옥 단 추 한 공 향

萬斛愁/끝이 없이 많은(쌓인)근심.
만곡 수

No.92

★空閨/혼자서 閨/도장방.규방
규

空閨養拙病餘身 이　　　　拙/졸할
공규 양 졸 병여 신　　　　졸

長在飢寒四十年 이라.　　　飢/주릴
장 재 기한 사십 년　　　　기

借問人生能幾時 요　　　　借/빌
차문 인생 능 기 시　　　　차

胸懷無日不沽衣 라.　　　懷/품을　沽/팔
흉회 무일불 고 의　　　　회　　　고

☞홀로 쓸쓸히 살아온 이 몸 병만 남았네
俗世속에 지내온 사십년.
속세
인생이 살면 얼마나 산다고
가슴 속 맺힌 눈물이 옷깃을 젖게 하네

※이 시는 병으로 남편도 없이 빈 방에서 쓸쓸하게 사십년을 살아 왔는데 얼마 살지 못하는 인생을 그렇게 헛되게 보낸 것을 생각하니 눈물이 옷을 적신다는 것이다.

☺空閨/남편이 없는 방　養拙/졸함을 기름, 못난 대로 산다는 뜻임.
공규　　　　　　　　　양졸

No.93

★金指環　　　　　　　　環/고리
금 지 환　　　　　　　　환

相思都在不言裏 하니　　都/도읍
상 사 도 재 불 언 이　　도

一夜心懷鬢半絲 라.　　鬢/살쩍
일야 심회 빈 반 사　　　빈

欲知是妾相思苦 -댄　　圍/둘레
욕지 시 첩 상사 고　　　위

須試金環減舊圍 하라.　　須/모름지기　環/고리
수 시 금환 감 구 위　　수　환

☞그리는 정이 가슴에 쌓여있으니
밤 사이 시름으로 머리가 희어졌네
이 여인이 사랑의 쓰림을 알고 싶은가
金指環이 헐거워졌네.
금 지 환

※이 시는 말 못하고 속으로 타는 임 생각으로 머리가 하얗게 되었는데, 나의 임을 그리는 괴로움을 알고 싶거든 금지환이 헐거워진 것을 보면 얼마나 야위었는가 알 것이 아닌가 하였다.

☺鬢半絲/머리가 반이나 실처럼 희어졌다는 뜻임　金環/금가락지.
빈 반 사　금환

No.94

★學士詩/시를 읊네
학사 시

欹枕寒窓睡思遲 하니　　欹/아/감탄　睡/잘
의 침 한 창 수 사 지　　의　수

一燈明滅照雙眉 라.　　滅/멸망할
일 등 명멸 조 쌍미　　멸

眞綠不必陽臺夢 이라.
진 록 불 필 양대 몽

錦帶留學學士詩 라.　　留/머무를
금대 유학 학사 시　　유

☞찬 바람 도는 베개를 벼고 온갖 시름에 잠겼는데
등불은 가물가물 눈앞에 어리네.

참사랑이 무슨 호사한 꿈이 필요한가
옷깃을 여미고 임의 시를 보고 있네

※이 시는 춘운 겨울 밤 사랑하는 사람의 시를 읽으면서 그리고 있는 심정을 쓴 것이다.
☺眞緣(진연)/참다운 인연 陽臺(양대)/中國(중국) 越(월)나라 句踐(구천)이 西施(서시)와 만나서 사랑을 속삭인 곳.

No.95

★扶餘/부여에서　　　扶/도울　餘/남을
부여　　　부　여

誰云洛下時多變　　　誰/누구　洛/강이름
수 운 락 하 시 다변　　　수　락

我顧人間事不聞　　　顧/돌아볼
아 고 인간사 불 문　　　고

莫向樽前辭一醉　　　辭/말씀
막 향 준 전 사 일 취　　　사

五陵公子草中墳　　　陵/큰언덕 墳/무덤
오 릉 공자 초 중 분　　　능　분

☞누가 세상이 어지럽다고 하던가
나는 인간사 듣고 싶지 않네.
술잔을 대하고 취하는 것을 사양 마라
저 귀공자들도 풀 속 무덤에 묻혔다

※이 시는 세상이 허무하여 興亡盛衰가 거듭되는 세상에서
흥망성쇠
술에 취하여 인간사를 잊어보자는 심정에서 쓴 것이다.

☺洛下/세상의 뜻(서울의 아래). 五陵/漢高帝 이하 다섯임금의 무덤
낙 하　오능　한고제
높고 귀한 사람의 무덤. 草中墳/풀 가운데의 무덤.
초 중 분

★扶餘懷古/扶餘에서
부여 회고 부여

水村來叩小紫門 하니 花落地唐菊老盆 이라,
수촌 래 고 소 자문　화 락 지 당 국 노 분

鵶帶孤烟啼古木 이요 雁含秋意渡江雲 이라.
아 대 고 연 제 고 목　안 함 추의 도강 운

誰云洛下時多變 고 我願人間事不聞 이라.
수 운 낙 하 시 다변 아 원 인간사 불 문

莫辭樽前沽一酒 하라 信陵豪氣草中墳 이라.
막 사 준 전 고 일 주 신 능 호 기 초 중 분

叩/두드릴 紫/자주빛 盆/동이 鴉/갈가마귀 啼/울
고 자 분 아 제

渡/건널 云/이를 豪/호걸
도 운 호

☞강마을의 초가집을 찾아오니 국화꽃이 지고 있네.
까마귀는 날아와 나뭇가지에서 울고
기러기는 가을 하늘을 날아가네
누가 세상이 무상하다고 하는가
나는 세상사는 생각을 하지 아니 하네
사양 말고 술에 취하여 보자
망웅들이 땅 속에 묻혀 있지 않은가

※이 시는 부여에서 회고의 정을 읊은 것이다, 起句는 계절
기 구
적인 것을, 承句는 계절적인 상황을, 轉句는 인생의 허물을
승 구 전구
結句는 모든 것을 잊고 술이나 취하여 보자는 것을 표현함
결구

☺鞠老盆/국화꽃이 시들어가는 화분
국 노 분

信陵/中國 戰國 時代 魏昭王의 아들, 食客이 3천명이나 되었음
신 능 중국 전국 시대 위 소 왕 식객

蘭雪軒 許氏
난 설 헌 허씨

宣祖때 사람으로 草堂 許曄의 딸, 西堂 金誠立의 婦人으로詩文에
선조 초당 허엽 서당 김성립 부인 시문

能하였다, 蘭雪軒集이 있고 그림에도 능하였으며 27세에 卒하였다.
능 난설헌집 졸

No.96

★江南曲(강남곡)/浦口(포구)에서

人言江南樂(인언강남악)이나
我見江南愁(아견강남수)라.
年年斜浦口(년년사포구)에
腸斷送歸舟(장단송귀주)라.

斜(사)/비낄 浦(포)/포구
腸(장)/창자

☞사람이 강남을 즐겁다 하지만
나는 강남이 슬프기만 하네.
해마다 포구에서
보내는 마음 창자가 끊어지네

※이 시는 포구에서 해마다 끊임없이 떠나가는 사람을 보고
이별의 슬픔을 쓴 것이다.

☺江南曲(강남곡)/강남의 노래(강남은 따뜻하여 살기 좋은 곳을 말함)
沙浦口(사포구)/浦口(포구) 腸斷(장단)/창자가 끊어지는 듯이 마음이 아픔.

No.97

★春雨(춘우)/봄비

春雨暗西池 요
춘우 암 서 지

輕寒襲羅幕 이라. 襲/어습할 幕/막
경한 습 라 막 습 막

愁依小屛風 하니
수 의 소 병 풍

墻頭杏花落 이라. 墻/담
장 두 행 화 락 장

☞봄비가 못에 내리니
찬 기운 방안에 서리는구나.
시름겨워 병풍에 기대니
담 위에 살구꽃이 지는구나.

※이 시는 안방에 앉아서 봄비 내리는 정경과 살구꽃이 지는 것을 보고 쓴 것이다.

☺羅幕/비단으로 만든 휘장 小屛風/작은 병풍,병풍은 바람을 막기 위하여 방에 쳐 놓음 墻頭/담이 쳐 있는 옆(근방)
나 막 소 병 풍 장 두

№98

★離別
이별

生長江南村 하여
생장 강남 촌

少年無別離 이라.
소년 무 별리

方知年十五 에
방 지 년 십오

嫁與弄潮兒 라, 嫁/시집갈 潮/조수
가 여 농 조 아 가 조

☞강남의 남쪽 따뜻한 마을에서 자라
어렸을 때는 이별을 모르고 살았네.
나이 방년 십오 세에
뱃사강에게 시집을 갔네.

※이 시는 여려서는 행복하게 자라났는데 나이 십오 세에 뱃사공한테 시집을 갔기 때문에 혼자 외롭게 산다는 한 여성을 그린 것이다.

☺江南村(강남 촌)/강남 쪽의 마을. 곧 따뜻하고 살기 좋은 마을을 뜻 한 것임.
弄潮兒(농 조 아)/바다와 더불어 사는 사람, 곧 뱃사공을 말함.

☞No.99

★采蓮(채 련)/연밥을 따며　　采(채)/캘　蓮(련)/연밥
湖裏月初明(호 리 월초 명) 하니　　湖(호)/호수　裏(리)/속
采蓮中夜歸(채 련 중야 귀) 라.
輕撓莫近岸(경 요 막 근 안) 하라　　撓(요)/어지로울　岸(안)/언덕
恐驚鴛鴦飛(공 경 원앙 비) 라.　　驚(경)/놀랄　鴛(원)/원앙= 鴦(앙)

☞호수 속에 달은 거울
연밥을 따고 한밤에 돌아온다
배를 기슭에 매지 말아라
원앙새가 꿈을 깰까 두렵다.

※이 시는 달이 밝은 한밤중에 연밥을 따며 사랑을 속삭이고 돌아오다가 행여 사랑의 보금자리에 든 원앙새를 놀라게 해서는 안된다는 것이다.

☺采蓮(채련)/연밥을 땀 中夜(중야)/한 밤중 輕撓(경요)/가볍게 배를 움직임

鴛鴦(원앙)/금실이 좋은 원앙새를 말함.

tingyaoh

No.100

★天寒/오동 잎
천한

池頭楊柳疎 하고　　　　　疎/트일
지두 양 유 소　　　　　　소

井上梧桐落 이라.
정 상 오동 락

簾外候蟲聲 하니　　　　　簾/발　候/물을
렴 외 후충 성　　　　　　렴　　후

天寒錦衾薄 이라.　　　　　薄/엷을
천 한 금금 박　　　　　　박

☞못 가에 버들이 몇 그루 서 있고
　샘 위에 오동잎이 떨어진다.
　창 밖에 벌레소리도 슬픈데
　싸늘한 날씨 이불이 엷어 차고나.

※버들잎이 지고 오동잎이 떨어지는 계절에 벌레소리를 들으며 찬 이불 속에서 잠을 이루지 못하는 심정을 쓴 것이다.

☺楊柳/수양버들과 버들　候蟲聲/벌레소리를 들음(살핌)
양 유　　　　　　　　　후충 성

錦衾/비단으로 만든 이불.
금금

No.101

★貧女吟/가난의 노래　　　　吟/읊을
빈 여 음　　　　　　　　　음

豈是乏容色 리오　　　　　豈/어찌　乏/가난할
개 시 핍 용색　　　　　　개　　　핍

工鍼復工織 이라. 　　鍼/침　復/다시/돌아오다
공 침 부 공 직　　침　부

少小長寒門 하여
소 소 장 한 문

良媒不相識 이라. 　　媒/중매
양 매 불 상 식　　매

☞어찌 얼굴이 아름답지 않으리
바느질도 잘하고 베도 잘 짜네
어려서부터 없는 가난한 집에 태어나
좋은 중매장이가 오지를 않네.

※얼굴도 잘 생겼고, 솜씨가 있어도 한미한 집에서 성장한 탓으로 중매장이가 내왕을 않기 때문에 시집을 못가고 있는 가난한 여자의 신세를 그린 것이다.

☺乏容色/얼굴 빛(모양)이 못나다. 寒門/가난하고 지체가 낮은 집안
핍 용색　한문

良媒/좋은 중매장이
양 매

No.102

★貧女吟/가난의 노래　　貧/가난할
빈 여 음　　빈

手把金剪刀 하니　　把/잡을　剪/자를
수 파 금 전 도　　파　전

夜寒十指直 이라.
야한 십지 직

爲人作嫁衣 나　　嫁/시집갈
위인 작 가 의　　가

年年還獨宿 이라.
년 년 환 독숙

☞손으로 바늘을 잡으니
밤이 차가워 손가락이 굳어지네.
남의 시집갈 옷을 짓고 있으나
해마다 나는 홀로 자고 있네.

※이 시도 빈녀를 읊은 것으로 추운 겨울 밤에 자지 않고
바느질을 하고 있지만,자신은 시집을 못가고 혼자 있다는
것을 描寫(묘사)한 것이다.

☺金剪刀(금전도)/바늘을 말함. 十指直(십지직)/열손가락이 추워서 꽃꽃하게 굳어
있음.

№103

★貧女吟(빈녀음)/가난의 노래

不帶寒餓色(불대한아색) 하고 餓(아)/주릴
盡日當窓織(진일당창직) 이라. 盡(진)/다될 織(직)/짤
惟有父母憐(유유부모련) 이어니와 惟(유)/생각할 憐(련)/불쌍히여길
四隣何曾識(사린하증식) 인가. 隣(린)/이웃 曾(증)/일찍

☞헐벗고 굶주린 기색 없이
하루종일 창가에서 베를 짜네.
오직 부모님은 가엾게 여기지만
이웃들이야 어떻게 알 것인가

※이 시도 빈녀를 읊은 것이다, 춥고 굶주린 모습으로 하루 종일 창 옆에서 베를 짜고 있는 이 심정을 이웃들은 알지 못하고 부모만이 불쌍하게 여기고 있다는 것이다.

☺寒餓色/춥고 굶주린 빛. 四隣/사방의 이웃 何曾識/어찌 일찍이 알
한아 색 사린 하증 식
것인가?

★貧女吟/가난의 노래
빈 여 음

夜久織未休 하여
야 구 직 미 휴

戛戛鳴寒機 라.　　戛/창
알알 명 한 기　　알

機中一匹練 요　　匹/필　練/익힐
기 중 일 필 련　　필　련

終夜阿誰衣 오.　　阿/언덕　誰/누구
종야 아 수 의　　아　수

☞밤 깊도록 베를 짜네
달그락 베틀이 울리네.
베틀에서 짜낸 한 필의 비단으로
밤세워 누구의 옷을 지을까.

※이 시도 역시 빈녀를 읊은 것으로 밤이 깊도록 자지 않고 베를 짜지만 그 비단은 누구의 옷을 지을 것인가 하고 동경하여 읊은 것이다.

☺戛戛/베짜는 소리를 擬聲한 것 擬/헤아릴 阿誰衣/누구의 옷.
알알 의성 의 아 수 의

寒機/찬 베틀,겨울의 찬 계절에 베를 짜니까 하는 말임
한 기

No.104

★送人(송인)/임을 보내면서

妾有黃金釵(첩유황금채) 하니

嫁時爲首飾(가시위수식) 이라.

今日贈君行(금일증군행) 하니

千里長相憶(천리장상억) 이라.

釵(채)/비녀

飾(식)/꾸밀

贈(증)/보낼

☞나에게 황금 비녀는
시집 갈 때 머리에 꽂은 것.
오늘 임에게 드리오니
먼 길에서도 항시 잊지 말기를

※이 시는 사랑하는 임을 이별하면서 머리에 꽂은 비녀를 주고 이 비녀를 나처럼 생각하여 잊지 말라는 것을 懇曲(간곡)하게 전한 내용이다.

☺黃金釵(황금채)/황금으로 만든 비녀 首飾(수식)/머리의 장식

贈君行(증군행)/그대의 가는 길에 증정함(잊지 말라는 표적으로 준다는 뜻임).

★遊仙詞(유선사)/亭子(정자)에서

詞(사)/말씀

烟鎖瑤臺鶴未歸 하니
연 쇄 요대 학 미귀

桂花陰裏閉珠扉 라.
계화 음 리 폐 주 비

溪頭盡日神靈雨
계 두 진일 신 영 우

滿地香雲濕不飛 라.
만지 향운 습 불 비

烟/연기 鎖/쇠사슬 瑤/아름다운
연 쇄 요

扉/문짝
비

☞아지랑이 자욱한 이 정자에 신선이 돌아간 뒤
계화꽃 그늘 아래 항시 문이 닫혀 있네
시냇가에서는 종일 이슬이 내리는데
향기로운 구름도 서려서 맴돌고 있네

※이 시는 神仙이 논다는亭子를 描寫한 것이다, 이 싯구에 나오는
신선 정자 묘사

瑤臺,鶴,桂花,住扉,神靈雨,香雲 등이 다 신선과 關係가 있는 詩語들로
요대 학 계화 주 비 신령 우 향운 관계 시어

遊仙詞의 情景을 읊은 것이다.
유 선 사 정경

☺瑤臺/곱게 장식한 집(정자,다락) 珠扉/구슬을 박은 사립문,곧
요대 주 비

사립문을 말함

神靈雨/신령스런 비,내리는 비를 말함.
신령 우

No.105

★鞦韆詞/그네
추천 사

隣家女伴競鞦韆 하니
인 가 여 반 경 추 천

結帶蟠中學半仙 이라.
결 대 반 중학 반 선

鞦/그네= 韆
추 천

競/겨룰
경

蟠/서릴
반

風送綵繩天上去 하니　　　綵/비단　繩/줄
풍송 채승 천상 거　　　채　승

珮聲時落綠楊煙 이라.　　　珮/찰
패성시락록양연　　　패

☞이웃집 여자들이 짝지어 그네를 뛰는데
줄을 공중에 매놓고 선녀처럼 뛰고 노네
바람이 그네줄을 하늘로 밀어대니
패옥 소리 버들 숲에 울리네

※이 시는 鞦韆詞(추천 사)로 동네 여자들이 治粧(치장)을 하고 버드나무 숲 속에 매어둔 그네를 뛰고 노는 모습을 表現(표현)한 것이다.

☺鞦韆詞(추천 사)/그네의 노래　蟠中(반 중)/그네의 걸터앉아 있는 곳을 말함
綵繩(채승)/그네줄을 곱게 장식한 것 珮聲(패 성)/여자들이 몸에 장식으로 찬 패옥을 말함.

No.106

★竹枝詞
죽지사

長堤十里柳絲垂 하니　　　堤/둑　絲/실
장제 십리 유사 수　　　제　사

隔水荷香滿客衣 라　　　荷/蓮
격수하향만객의　　　하 연

向夜南湖明月白 하니
향야 남호 명월 백

女郎爭唱竹枝詞 라.
여랑쟁창 죽지사

☞십리의 둑길에 버들이 휘늘어지고
물에 솟은 연꽃 향기는 옷에 스며드네
밤하늘 호수의 달은 밝기도 한데
남녀들이 사랑의 노래를 시새워 부르네

※버들이 푸르고 湖水(호수)에 연꽃 香氣(향기)가 그윽한 달 밝은 밤에 남녀들이 사랑의 노래(竹枝詞(죽지사))를 부르며 젊음을 즐기는 모습을 表現(표현)한 것이다

☺隔水(격수)/물 건너,물 너머 向夜(향야)/밤에 들어서,밤이 되어서
女郎(여랑)/처녀들과 총각들.

No.107

★竹枝詞(죽지사)

家住江陵積石磯(가주강릉적석기) 하니
門箭流水浣羅衣(문전유수완라의) 라.
朝來閑繁木蘭棹(조래한번목란도) 하고
貧看鴛鴦相伴飛(빈간원앙상반비) 라.

磯(기)/물가
箭(전)/화살 浣(완)/빨
繁(번)/많을 棹(도)/노

☞집이 江淩(강능) 땅 바위 기슭에 있어
문 앞을 흐르는 물에 비단 옷을 빠네.
아침나절에 짝지어 나는 것을 보고 있네.

※죽지사는 여자의 사랑을 그린 것이다 이 시의 내용도 강릉의 강변에 홀로 쓸쓸히 살면서 쌍쌍이 나는 원앙새를 바라보고 자신의 불행을 한한 노래이다.

☺積石磯/바위에 쌓여 있는 물가, 바위가 널려있는 강변.
적석 기

木蘭棹/나무 돛대를 말하는데 여자가 자신을 상징한 뜻으로 쓰인 것임.
목란 도

No.108

★竹枝詞
죽지사

永安宮外是層灘 이로소니 灘/여울
영안궁 외 시 층 탄 탄

灘上舟行多少難 이라.
탄 상 주 행 다소 난

潮信有期應自至 이니 潮/조수
조 신 유기 응 자 지 조

郎舟一去幾時還 -고
랑 주 일 거기 시 환

☞영안궁 앞에 여울이 소용돌이치는데
그 여울을 떠가는 배는 힘이 들겠지
바닷물은 어기지 않고 제 시간에 밀려오는데
임이 탄 배는 한 번 가고서 돌아오지 않네

※이 시는 영안궁 밖에 있는 바닷물을 제 시간이 되면 오고 가는데, 떠나는 임은 언제나 올 것인가? 저 조수처럼 갔다

가 꼭 돌아와 주었으며 하는 것을 바라는 심정을 그린 것이다.

☺永安宮(영안궁)/집의 이름(宮名(궁명)) 層灘(층탄)/층져서 내려오는 물결, 곧 거센 물결을 뜻함.

潮信(조신)/조수가 조석으로 시간이 되면 밀려오고 밀려가는 것을 말함.

郞舟(낭주)/낭군이 탄 배.

No.109

★閨恨/임은 보이지 않고
규 한

月樓秋盡玉屛空 하니
월 루 추 진 옥병 공

霜打蘆洲下暮鴻 이라. 蘆/갈대 洲/섬 塘/못
상 타 노주 하 모 홍 노 주 당

瑤瑟一彈人不見 하고 瑤/아름다운옥 瑟/큰거문고
요슬 일 탄 인불 견 요 슬

藕花零落野塘中 이라. 藕/연뿌리 零/조용히오는비
우화 영락 야 당 중 우 영

☞다락에 가을이 깊어가니 세상이 텅 빈 것 같은데
서리 내린 갈밭에 기러기는 내려와 앉네
琵琶를 타고 있으나 임은 보이지 않고
비파
연꽃만이 부질없이 못 가운데 지네.

※달이 밝은 가을 저녁에 서리는 내리고 기러기는 날아가는 데 홀로 비파를 타며 못 가운데 떨어지는 연꽃을 바라보고 있는 심정을 묘사한 것이다.

☺月樓/달이 비치는 다락 玉屛/구슬처럼 맑은 하늘(구슬의 병풍처럼
월 루 옥병
맑은 것을 뜻함) 蘆洲/갈대 숲이 있는 호수(모래톱) 瑤瑟/옥으로
노주 요슬
꾸며진 비파,곧 비파(악기)를 말한 것임 藕花/연꽃.
우화

No.110

★閨怨/해마다 봄은 오는데 怨/원망할
규원 원

錦帶羅積淚痕 이로소니
금대 라 적 누흔

一年芳草恨王孫 이라.
일년 방초 한 왕 손

瑤簾彈盡江南曲 하니
요 렴 탄 진 강남곡

雨打梨花晝掩門 이라. 掩/가릴
우 타 이 화 서 엄문 엄

☞비단 치마폭에 눈물이 얼룩졌네.
해마다 봄은 오는데 임은 왜 안 오시나.
거문고로 강남곡을 타고 나니
빗방울에 배꽃이 지는데 문이 꼭 닫혀 있네.

※이 시는 봄은 해마다 돌아오는데 한 번 간 임은 오지 않는 것이 한이다. 문을 닫고 배꽃이 비바람에 지는 속에서 강남곡을 타며 임을 그리는 안타까운 심정을 엿 볼 수 있다.

☺羅裙/비단 치마 瑤簾/구슬로 장식한 발 江南曲/노래 곡의 이름.
나군 요 렴 강남곡

No.111

★洞房/한 洞/골
동방 동

燕掠斜簷兩兩飛 하니 掠/노략질할 簷/처마
연 략 사 첨 량 량 비 략 첨

落花撩亂撲羅衣 라. 撩/다스릴 撲/칠
낙화 요 란 박 라 의 요 박

洞房極目傷春意 하니　　極/다할
동방　극목　상춘　의　　극

草綠江南人未歸 라.
초록　강남인　미귀

☞제비는 처마를 박차고 쌍을 지어 나는데
꽃잎이 어지럽게 비단 옷에 젖네
방안에 가득한 봄의 한이여
한번 떠나간 임은 돌아오지 아니하네

※이 시는 뜰의 제비는 쌍쌍히 날고 있고 지는 꽃은 어지럽게 흩날리는데 한 번 떠난 임은 오지 않으니 이 몸이 슬프다고 읊은 것이다.

☺斜簷/경사진 처마, 곧 처마를 뜻함　洞房/안방
사 첨　동방

極目/눈에 보이는 곳　傷春意/봄의 뜻이 감상에 흐름.
극목　상춘　의

No.112

★湖水
호수

秋淨長湖碧玉流 하니　　淨/깨끗할
추 정 장 호 벽옥 류　　정

荷花深處繁蘭舟 라.　　荷/蓮　繁/많을
하화　심처　번 란 주　　하 연　번

逢郞隔水投蓮子 라가　　逢/만날
봉 랑 격 수 투 연 자　　봉

遙被人知半日羞 라,　　遙/멀　被/이불　羞/부끄러울
요 피 인 지 반 일 수　　요　피　수

☞가을의 호수가 한결 맑게 흐르는데
연꽃 피어 있는 곳에 배를 매어 놓았네.
임을 만나 울 너머로 연밥을 던지고
사람의 눈에 띠어 반나절이나 얼굴을 붉혔네.

※이 시는 연꽃이 핀 호수에서 배를 매어 놓고 임과 사랑을 속삭이다가 사람의 눈에 띠어 부끄러워하는 여자의 순진한 마음을 그린 것이다.

☺蘭舟(난주)/목란으로 만든 아름다운 배

投蓮子(투연자)/연밥을 던지면서 남녀끼리 물 가운데서 장난하고 노는 것을 말함.

半日羞(반일수)/반나절의 부끄러움.

★楊柳枝詞(양유지사)/버들 노래

楊柳含煙兩岸春(양유함연양안춘) 에 — 岸(안)언덕
年年攀折贈行人(년년반절증행인) 이라. — 攀(반)/더위잡을 贈(증)/보낼
東風不解傷離別(동풍불해상이별) 하고
吹却低頭掃歸塵(취각저두소귀진) 이라. — 吹(취)/불 却(각)/물리칠 塵(진)/티끌

☞언덕길 버들가지에 안개가 피어나는데
해마다 가지를 꺾어가는 임에게 주네.
동풍은 이별의 슬픔도 모르고

낮은 가지를 헤치고 먼지를 쓸어가네.

※이 시는 봄날 버들가지를 꺾어 행인에게 주며 이별하는데 동풍이 이별의 슬픔도 모르는 채 먼지를 휘몰아치는 정경을 그린 것이다.

☺含煙(함연)/아지랭이가 연기처럼 피어오르는 것을 말함

攀折(반절)/나무에 올라가서 가지를 꺾음, 손을 뻗쳐서 꺾음.

吹却低頭(취각저두)/바람이 낮게 휘몰아치는 것을 말함.

No.113

★效沈下賢(효침하현)/봄비

效(효)/본받을 沈(침)/가라앉을

春雨梨花白(춘우이화백) 하니 宵殘小燭紅(소잔소촉홍) 이라.

宵(소)/밤

井鴉驚曙色(정아경서색) 이오 樑燕怯晨風(양연겁신풍) 이라.

鴉(아)/갈까마귀

錦幕凄凉捲(금막처량권) 이오 銀床寂寬空(은상적관공) 이라.

曙(서)/새벽

雲輧回鶴馭(운병회학어) 하니 星漢綺樓東(성한기루동) 이라.

樑(양)/대들보/

怯(겁)/두려워할 捲(권)/말 寬(관)/너그러울 輧(병)/가벼운수레 馭(어)/말부릴

☞봄비에 배꽃이 피니 깊은 밤을 촛불이 밝히네
까마귀 날이 새가 울고 제비는 새벽바람을 치고 나네
휘장을 맥없이 걷어 올리는데 평상은 쓸쓸하기만 하네
구름이 걷히고 학이 나는데 별이 동쪽에 반짝이네

※이 시는 봄철의 정경을 읊은 것이다, 起句(기구)에는 봄의 계절적인 것을, 承句(승구)에는 봄의 새벽의 모습을, 轉句(전구)에는 방안의 쓸쓸한 모습을,結句(결구)에서는 창에 기대어 하늘을 바라보고 있는 감상을 그린 것이다.

☺宵殘(소잔)/밤이 깊음 驚曙色(경서색)/날이 새자 놀라서 움

愶晨風(겁신풍)/새벽 바람에 겁을 먹고 날다

雲輧回鶴馭(운병회학어)/구름이 수레바퀴처럼 떠 있는 것과 빙빙 도는 학을 어거함(이끌어 길들임)

Jaesung An

No.114

★出塞曲/烽火불　　　　　　　塞/변방　　烽/봉화
출새 곡　봉화　　　　　　　　새　　　　봉

烽火照長河 하니 天兵出漢家 라
봉화 조 장 하　　천병 출 한 가

枕戈睡白雪 이요 驅馬到黃沙 라.　　戈/창　睡/잘
침과 수 백 설　　구 마 도 황 사　　　과　　수

朔期傳宵析 이요 邊聲入慕茄 가,　　朔/초하루 茄/연줄기
삭기 전 소 석　　변성 입 모 가　　　삭　　　가

年年長結束 하니 辛苦遂輕車 라.　　遂/이를
년 년 장 결 속　　신고 수 경 차　　　수

☞봉화가 하늘을 비치니
군사들이 변방을 지키고 있네
창을 베게 삼아 눈 위에서 자고
말을 몰아 모래밭을 돌아보네
차가운 밤 날씨에 살이 에이고
변방은 피리소리에 저물어가네
해마다 고향에 돌아가지 못하고
고생을 이기고 적을 쫓고 있네

※이 시는 왕명으로 변방에 나아가 나라를 지키는 군사들의 생활을 생각하며 읊은 것이다.

☺烽火/싸울 때 올리는 불(변방에서 올리는 불) 天兵/임금님의
　봉화　　　　　　　　　　　　　　　　　　　　　천병
명령을 받들고 나아가 있는 군인傳宵析/밤이 된 것을 전함
　　　　　　　　　　　　　　　전 소 석
竹西: 哲宗 때 사람, 호는 半啞堂, 徐綺輔의 소실로 36수의 시가
죽서　철종　　　　　　　반 아 당　서기보

전해진다

★杜鵑花/진달래 꽃 杜/팥배나무 鵑/두견이
두견화 두 견

庭樹彼啼鳥 여 彼/저 啼/울
정 수 피 제 조 피 제

何山宿早來 오. 早/새벽
하 산 숙 조 래 조

應知山中事 하리니
응 지 산중 사

杜鵑何日開 오.
두견 하일 개

☞창 앞의 나무에서 우는 저 새는
어느 산에서 자고 일찍 왔는가
정녕 산중의 임을 알 것이니
두견화가 어느 때에 피겠는가

※이 시는 아침 일찍 문 앞에 와서 우는 새를 보고서 산에서 날아왔으니 진달래꽃이 언제 필 것인가를 알고 있는가를 물은 내용이다

☺杜鵑花/진달래 꽃.
두견화

No.115

★晩春/꽃이 지는 봄에 晩/저물
만춘 만

落花天氣似新秋 하니
낙화 천 기 사 신추

夜靜銀河淡欲流 라　　淡/묽을
야 정 은하 담 욕류　　담

却恨此身不知雁 하니　　却/물리칠　此/이
각 한 차신 부지 안　　각　차

年年未得到原州 라.
년 년 미득 도 원 주

☞꽃이 지는 봄은 가을철과 같으네
밤이 되니 은하수도 맑게 흐르네
이 몸은 기러기만도 못한 신세
해마다 임이 계신 곳에 가지 못하고 있네.

※꽃이 지는 늦봄 임 생각이 나도 기러기처럼 날아가지 못
하는 자신의 한을 표현한 것이다.

☺新秋/첫가을 原州/지명.원주에 사랑하는 사람이 있었기 때문에 한
신추　원주
말임.

No.116

★東閣梅花/매화가 피었는데　　閣/문설주
동 각 매화　　각

世機忘却自閑身 이
세 기 망각 자 한 신

匹馬西來再見春 이라.　　匹/필
필마 서래 재 견 춘　　필

東閣梅花今又發 하니　　又/또
동 각 매화 금 우 발　　우

凊香不染一纖塵 이라.　　染/물들일　纖/가늘
청향 불 염 일 섬진　　염　섬

☞세상일 잊고 한가한 몸이 되어서 말을 타고 서쪽을 돌아다니며 봄을 즐기네
동녘에 매화가 또 피었는데 맑은 향기는 티끌 하나 없네

※이 시는 모든 세상사를 잊고 동각에 핀 매화의 향기에 취하여 그 그윽하고 깨끗한 경치를 읊은 것이다.

☺世機(세기)/세상 일 匹馬(필마)/한 마리 말 東閣(동각)/동쪽에 있는 집
一纖塵(일섬진)/조그만한 티끌.

No.117

★籠禽(농금)/새의 한 籠(농)/대그릇 禽(금)/날짐승
天回斗轉月西沉(천회두전월서침) 하니 沉(침)/가라앉을
一炷殘燈獨照心(일주잔등독조심) 이라. 炷(주)/심지
百藥難醫腸斷(백약난의장단) 腸(장)/창자
吾生從此恨籠禽(오생종차한농금) 라.

☞밤이 깊어 달이 서쪽에 기우는데
등잔불 심지를 돋우며 홀로 마음을 태우네
약으로는 이 쓰린 병을 고칠 수 없는 것
갇혀 있는 새의 신세를 한탄 할 수밖에

※이 시는 저녁에 심지를 돋우며 자지 않고 임을 그리고 있는

새와 같다고 읊었다.

☺天回斗轉(천회두전)/하늘이 빙빙돌고 북두칠서이 회전함. 一炷(일주)/한 심지(한 가닥 심지) 籠禽(농금)/둥우리에 갇혀 있는 새, 籠鳥(농조)

★憶君(억군)/임이 생각되네　　　憶(억)/생각할

不欲憶君自憶君(불욕억군자억군) 이로소니

問君何事每相分(문군하사매상분) -고

莫言靈鵲能傳喜(막언영작능전희) 하라　　　莫(막)/없을　鵲(작)/까치　喜(희)/기쁠

幾度虛驚到夕曛(기도허경도석훈) -가　　　曛(훈)/석양빛

☞생각을 아니 하려 해도 임이 생각이 나네
임이여, 어찌 이렇게 떨어져 살아야 되는가
까치가 기쁜 소식을 전한다는 것도 헛소리
하루에도 몇 번이나 부질없이 속았던가

※이 시는 떨어져 있는 그리운 임이 한스럽지만 혹시 오지 않나 하고 마음을 조이고 있는 정경을 그린 것이다.

☺靈鵲(영작)/神靈(신령)스런 까치,손님이 오면 까치가 미리 알려준다는 데서 靈鵲(영작)이라고 하였음.

★天一方/故鄕을 바라보고 獨倚欄干恨更長 하니 倚/의지할
천일 방 고향 독 의 란 간 한 갱 장 의

干/방패
간

No.118

北風吹雪夜昏黃 이라. 吹/불
북풍 취설 야 혼 황 취

數聲鴻雁遠雲外 에 鴻/큰기러기 雁/기러기
수 성 홍안 원 운 외 홍 안

東望故園天一方 이라. 園/동산
동 망 고 원 천 일방 원

☞난간에 기대어 있으니 한스럽기만 하네
눈보라 치는 추운 바람에 밤이 어두워지네
기러기 소리 멀어진 하늘 끝
내 정든 고향을 바라보고 있네

※이 시는 북풍이 몰아치는 겨울 밤 기러기가 날아가는 고향을 그리면서 가지 못하는 안타까운 심정을 쓴 것이다.

☺昏黃/황혼의 뜻임 鴻鴈/기러기
혼 황 홍안

天一方/하늘의 한 방향(쪽),굴원의 이소경,또는 소동파 적벽부에서 유래된 말임.
천일 방

No.119

★喜消息/便紙 消/사라질
희소식 편지 소

一札飄然到曉時 에　　札/패　曉/새벽
일 찰 표연 도 효 시　　찰　효

青燈花落喜蛛垂 라.　　蛛/거미　垂/드리울
청등 화 락 희 주 수　　주　수

兩逢情緖誰相念 -가
양 봉 정서 수 상 념

明月慇懃知未知 아.　　慇/괴로워할　懃/은근할
명월 은근 지 미 지　　은　근

☞편지가 뜻밖에 새벽에 이르렀네
등잔불 꽃이 떨어지고 거미줄이 내리더니
서로 그리워하는 정 누구 때문인가
저 은근하게 비치는 밝은 달이나 알겠지

※이 시는 편지가 오자 거미불이 드리워지고 따라서 임을 만나게 될 이 기쁨을 누가 알 것인가 저 달이나 알 것이다 하고 읊었다.
☺一札/한 통의 편지 飄然/가벼운 모습, 여기서는 빨리의 뜻으로해석
　일 찰　표연

青燈/청등이란 저녁에 불빛이 파란빛을 띠고 있어서 한말
청등

蛛垂/거미줄이 드리워 있는 것. 慇懃/그윽한 정이 서리어 있음을 말함.
주 수　은근

No.120

★咫尺千里　　咫/길이
지척 천리　　지

莫驚憔悴鏡中眉 하라　　憔/수척할　悴/파리할　眉/눈썹
막 경 초 췌 경 중 미　　초　췌　미

心似金籠鎖白鷗 라,　　籠/대그릇　鎖/쇠사슬
심 사 금 농 쇄 백구　　농　쇄

咫尺還如千里遠 하니
지척 환 여천 리 원

愁香落日掩柴門 이라, 掩/가릴 柴/섶
수 향 낙일 엄 시 문 엄 시

☞거울 속 꺼칠한 눈썹 놀랄 것 없네
마음은 동우리에 갇혀 있는 새와 같네
지척에 있는 임이 천 리처럼 느껴져
지는 해를 바라보면서 사립문을 닫네.

※이 시는 곁에 있는 임을 만나지 못하고 방에 갇혀서 임을
그리는 시름 속에 사는 여자의 운명을 한하여 읊은 것이다.

☺今籠/새 둥우리를 말함 柴門/가시를 엮어서 만든 사립문.
금 롱 시문

★東流水/東流水처럼 흐르는데
동류 수 동류 수

一陣哀鴻向晚多 하니 陣/줄 哀/슬플 晚/저물
일진 애홍 향 만 다 진 애 만

江雲嶺樹斷腸何 오 腸/창자
강운 영 수 단장 하 장

相思泣灑東流水 하니 泣/울 灑/뿌릴
상사 읍 쇄 동류 수 읍 쇄

去作三湖別後波 라
거 작 삼 호 별후 파

☞기러기 떼가 저물어 가는 하늘을 날아가네
구름과 나무를 보니 이 마음이 서글프기만 하네
임 그리는 눈물은 동류수처럼 흐르는데
엊그제 이별한 후 물결이 더욱 불어났네

※이 시는 기러기는 날아가고 강 위에 구름과 산위의 나무들을 바라보니 임의 생각이 더욱 간절하게 눈물이 동류수에 떨어져 흘러가고 있다는 내용이다.

☺向晩多(향만다)/어두워지자 기러기떼가 많이 날아감을 말함.

斷腸何(단장하)/창자가 끊어지는 듯한 아픈 마음을 이렇게 표현

去作(거작)/엊그제　三湖(삼호)/호수의 이름.

卢芳思

No.121

★不求仙子/離別이 없다면
불 구 선자 이별

相思不見獨依樓 하니
상사 불 견 독 의 루

燭影空添一段愁 라　　添/더할
촉영 공 첨 일단 수　　첨

若使人生無暫別 이면　　使/하여금　暫/잠시
약 사 인생 무 잠 별　　사　잠

不求仙子與封侯 라.　　封/봉할　侯/과녁/제후
불 구 선자 여 봉후　　봉　후

☞보지 못하는 임 홀로 다락에 올라서니
깜박거리는 촛불이 한 가닥 시름을 더해 주네
만약 인생에 이별이 없다면
신선이나 벼슬을 구하지 않겠네

※이 시는 혼자 임을 그리는 정을 촛불의 그림자가 더욱 간절하게 자극을 하는데 인생에 이별이 없이 산다면 신선이나 벼슬이 부러울 것이 없다는 하소연이다.

☺一段愁/한 가닥의 근심 仙子/神仙
일단 수　선자 신선

封侯/벼슬을 말함,높은 벼슬의 뜻으로 쓰인 것임.
봉후

No.122

★離恨/임이 내 신세라면
이한

鏡裏誰憐病已成 -가　　　憐/불쌍히여길
경 리 수 련 병 기 성　　　련

不須醫藥不須驚 이라.　　　須/모름지기
불 수 의 약 불 수 경　　　수

他生若使君如我 면　　　使/하여금
타생 약 사 군 여 아　　　사

應識相思此夜情 이라.
응 식 상사 차야 정

☞거울 속 파리한 이 모습을 누가 알 것인가
약으로도 고칠 수 없는 병 놀랄 것도 없네
세상에 다시 태어나 임이 내 신세가 되었다면
그때는 상사병으로 잠 못 이루는 이 심정을 알 것이네

※이 시는 몸에 깊이 스며 있는 상사병은 의원이나 약으로
고칠 수 없으니 그대가 딴 세상에서 나의 입장과 바꾸어
태어난다면 이 심정을 알 것이라고 읊었다
\

☺不須醫藥/의원임,약을 기다릴 필요가 없다는 뜻임
불 수 의 약

他生/이 세상에서 죽고 다른 세상에서 다시 살아남을 말한
타생

것임　君如我/그대(임)가 나 같은 처지가 되었다면.
군 여 아

No.123

★夜中/밤에
야중

斜暉西盡月出東 하니　　　暉/빛
사 휘 서 진 월출 동　　　휘

獨臥燈前萬事空 이라.　　　臥/엎드릴
독와 등전 만사 공　　　와

平地夜來供寂寬 이나 供/이바지할 寂/고요할 寬/너그러울
평지 야래 공 적 관 공 적 관

如何煩惱此心中 -가. 煩/괴로워할= 惱
여하 번뇌 차심 중 번 뇌

☞해가 서쪽에 기우니 달이 동쪽에 뜨네
등잔불 켜놓고 누워 있으니 모든 일이 꿈과 같네.
세상은 밤이 되니 잠자듯 고요한데
어찌 이 마음속은 이렇게 괴로운가.

※이 시는 밤이 되어 온 누리는 고요한데 내 마음 속은 번민이
끊이지 않는다는 것을 읊은 것이다.
☺斜暉/서산에 기우는 햇빛.
사 휘

No.124

★寒衾/이불이 차가워
한 금

轉輾寒衾夜不眠 하니 轉/구를= 輾
전 전 한 금 야 불면 전 전

鏡中憔悴只堪憐 이라. 憔/수척할 悴/파리할 堪/견딜
경 중 초췌 지 감 련 초 췌 감

何須相別何須苦 요 須/모름지기
하수 상별 하수 고 수

從古人生未百年 이라. 從/쫓을
종 고 인생 미 백 년 종

☞이불이 차가워 잠이 오지 않네
거울 속 야윈 얼굴이 슬프기만 하네.

어찌 이별하고 괴로워하는가?
백 년도 살지 못하는 인생을.

※이 시는 인생이 백 년도 못 사는데,이렇게 임을 이별하고 밤마다 홀로 자는 신세가 가엾다고 표현한 것이다.

☺輾轉/엎치락 뒤치락하는 것 堪憐/한스런 자신을 견디어 냄.
전전 감 련
未百年/인생이 백 년도 못 산다는 뜻임
미 백 년

No.125

★除夜/除夜音 除/섬돌
제야 제야 음 제

無情又遣今年去 하니
무정 우 견 금년 거

有力難回此夜窮 이라. 窮/다할
유력 난 회 차야 궁 궁

萬古消磨應是夢 이로소니 消/사라질 磨/갈
만고 소마 응 시 몽 소 마

人生老在不知中 이라.
인생 노 재 부지중

☞무정하게 또 금년을 보내게 되니
뉘라서 마지막 이 밤을 돌려 막을 수 있을까.
지난날 모든 일은 한낱 꿈일까
인생은 부지중에 늙어가는 것이네.

※이 시는 가는 세월은 인간의 힘으로 돌이킬 수 없는 것으로 알지 못하는 사이에 늙어간다는 허무감을 표현한 것임

☺此夜窮/오늘 밤의 다함,오늘 밤이 다 끝이 나는 것
차야 궁

萬古消磨/자나간 모든 일이 다 사라져 없어짐.
만고 소마

李玉峰 朝鮮 때 女流詩人.宣祖 때의 沃川 郡守 逢의 딸
이 옥 봉 조선 여류시인 선조 옥천 군수 봉

雲江 曺瑗의 副室,壬辰倭亂에 殉節하였는데 詩에 能하였다.
운 강 조원 부실 임진왜란 순절 시 능

Mourad Saadi

No.126

★枝上鵲/까치 소리
지 상 작

有約來何晩 -고　　晩/저물
유 약 래 하 만　　만

庭梅欲謝時 라.
정 매 욕 사 시

忽聞枝上鵲 하고　　忽/소흐리할　　鵲/까치
홀 문 지 상 작　　홀　　작

虛畵鏡中眉 라.　　眉/눈썹
허 화 경 중 미　　미

☞약속은 하고 임은 오지 않네
뜰에 매화꽃이 다 져 가는데.
문득 나무 위 까치 소리를 듣고
부질없이 거울속 눈썹을 그리네

※이 시는 매화꽃이 필 무렵에 만나자고 言約(언약)을 해놓고 오지 않는 임을 기다리는 焦燥(초조)한 心情(심정)을 그린 것이다.

焦/그을릴　　燥/마를
초　　조

☺欲謝時/꽃이 가지를 사양하고자 하는 때라 곧 가지에서 떨어지려고
욕 사 시
하는 시기의 뜻임

No.127

鏡中眉/거울 속에 비치는 눈(눈썹)
경중 미

★憑欄/다락에서　　憑/기댈　欄/난간
빙 난　　빙　난

小白梅逾耿 이요　　逾/넘을　　耿/빛날
소백 매 유 경　　유　　경

深靑竹更姸 이라　　姸/고울
심청 죽 갱 연　　연

憑欄未忽下 하니　　憑/기댈　　欄/난간
빙 란 미 홀 하　　빙　　란

爲待月華圓 이라.
위대 월 화 원

☞흰 매화꽃이 더욱 아름답고
푸른 대나무가 한결 곱다
난간에 기대고 서서 차마 내려가지 못하는 것은
둥근 달이 떠오르는 것을 기다리고 있기 때문이다.

※이 시는 매화가 아름답고 대나무가 어여쁜 곳의 난간에
기대어 내려가지 않는 것은 둥근달이 떠오르는 것을 보기
위함이라고 하였다.

☺小白/조금 흰　深靑/아주 푸른 것
소백　심청

月華圓/달꽃이 둥글다, 곧 둥근달을 말함.
월화 원

No.128

★聽鷄/닭 소리를 듣고　　聽/들을
청 계　　청

明宵雖短短 이나　　宵/밤　　雖/비록
명 소 수 단 단　　소　　수

今夜願長長 이라.
금야 원 장 장

鷄聲聽秋曉 하니　　　　　曉/새벽
계성 청 추 효　　　　　　　효

雙瞼淚千行 이라.　　　　　雙/쌍　　瞼/눈꺼풀
쌍 검 누 천 행　　　　　　쌍　　　검

☞이 밤이 비록 짧지만
오늘 밤만은 길어 주기를 바라네
닭 소리에 가을 날이 밝아오니
두 눈에 눈물이 쏟아지네.

※이 시는 짧은 가을밤을 자지 않고 눈물로 새는 可憐한 여자의 심정을 읊은 것이다.
가련

☺短短/짧고 짧은 것　聽秋曉/가을날이 새는 것을 닭 울음으로 듣는다.　雙瞼/두 눈시울　淚千行/눈물이 천 줄기로 흐르는 것.
단 단　청 추 효　쌍 검　누 천 행

No.129

★倚樓/소식을 물으면　　倚/의지할
의루　　　　　　　　　의

深情容易寄 나　　　　寄/부칠
심정 용이 기　　　　　기

欲說更含羞 라.　　　　羞/바칠
욕 설 갱 함 수　　　　수

若問香閨信 인댄　　　閨/도장방
약 문 향 규 신　　　　규

殘粧獨倚樓 하라.
잔 장 독 의루

☞깊은 정은 글로는 써서 부칠 수 없고

말을 하려면 부끄러움이 앞서네
만일 이 여인이 소식을 물으면
홀로 다락에 기대어 임을 그리고 있다고.

※이 시는 마음에 있는 정을 말을 못하고 시름하여 임을 기다리는 정숙한 여인의 심정을 그린 것이다.

☺香閨信(향규신)/향기로운 안방의 소식
殘粧(잔장)/흐려진 얼굴(단장한 것이 흐려져 있음).

No.130

★春曉(춘효)/봄 아침　曉(효)/새벽

虛簷殘溜雨纖纖(허첨잔류우섬섬) 하니　簷(첨)/처마　溜(류)/방울저떨어질
枕簟輕寒曉漸添(침단경한효점첨) 이라.　簟(단)/대광주리　添(첨)/더할
花落後庭春睡美(화락후정춘수미) 하니　睡(수)/잘
呢喃燕子要開簷(이남연자요개첨) 이라.　呢(이)/소근거릴　喃(남)/재잘거릴

☞가랑비가 부슬부슬 처마 끝에 젖어드니
베갯머리 스며드는 바람 새벽녘에는 더 춥네
꽃이 진 뒤안길에는 봄이 깊어가는데
지지베베 제비는 안방 문을 넘실거리네.

※이 시는 비가 내리고 찬 바람이 스며드는 방안에 잠에서

깨어나 제비 소리를 들으며 창을 열어보는 정경을 표현한 것이다.

☺殘溜/낙수물이 흘러내림 雨纖纖/가랑비가 내리는 것
잔류 우섬섬

枕簞/목침(베개) 呢喃/제비가 지저귀는 소리
침단 이남

No.131

★江頭/강둑에서
강두

柳外江頭五馬嘶 하니 嘶/울
유외강두오마시 시

半醒愁醉下樓時 라.
반성수취하루시

春紅欲瘦羞看鏡 하여 瘦/파리할
춘홍욕수수간경 수

試畵梅窓半月眉 라.
시화매창반월미

☞버들이 핀 강둑을 말이 달리네
수심을 조금 풀고 다락을 내려가네
예쁜 얼굴이 일그러져 거울보기도 부끄러워라
매화 핀 창가에서 고운 눈썹을 그리네

※이 시는 강둑에 수레를 끄는 말의 우는 소리를 듣고 행여 임이 오는가 수심을 풀고 단장을 하여보는 여성의 마음씨를 그린 것이다.

☺五馬嘶/수레를 이끄는 다섯 마리의 말이 울부짖음
오마시

半醒愁醉/수심으로 취한 것 같은 정신이 반이나 깨어났음
반 성 수 취

半月眉/조각달처럼 아름다운 눈썹.
반월 미

No.132

★夢/꿈
몽

近來安否問如何 요
근래 안부 문 여하

月到紗窓妾恨多 라
월 도 사창 첩 한 다

若使曚昏行有跡 이면　　使/하여금　曚/어두울
약 사 몽혼 행 유 적　　사　몽

門前石路半成沙 라.
문전 석 로 반 성 사

☞요즈음 임이여 어떻게 지내시는지
달빛이 창에 어른거려 임 생각에 잠이 오지 않네
만일 밤마다 꾸는 꿈길이 자취가 있다면
임이 계신 집 앞 돌길이 모래가 되었을 것이네.

※이 시는 만나지 못하는 임을 꿈에서 늘 만나기 때문에
임의 집 앞에 있는 돌이 닳아서 모래가 되었을 것이라
는 것이다.

☺問如何/묻건대 어떠한가　行有跡/다니는 것이 흔적이 있다면
문 여하　행 유 적

半成沙/반절이나 돌이 닳아서 모래가 되었음.
반 성 사

No.133

★離恨/離別의 恨
이한 이별 한

平生離恨成身病 하니
평생 이한 성 신 병

酒不能療藥不治 라.
주 불 능 요 약 불치

衾裏泣如冰下水 하니
금 이 읍 여 빙 하 수

月夜長流人不知 라.
월야 장 유 인 부 지

療/병고칠
요

泣/울
읍

☞기약 없는 이별 때문에 병이 났네
술로도 달랠 수 없고 약으로도 고칠 수 없네
이불 속의 눈물은 어름 밑에 흐르는 물
달밤에만 흐르고 있어 아는 사람이 없네.

※이 시는 한이 맺히어 생긴 병은 약으로도 고칠수 없는 것, 홀로 울음으로 세월을 보내는 이 처지를 사람들은 모르고 있다는 것이다.

☺成身病/몸의 병이 이루어졌음 병이 되었음 酒不能療/술로도 능히 고칠 수 없음 泣如氷下水/울어서 흐르는 눈물이 얼음 밑을 흐르는 물과 같음.
성 신 병 주 불 능 료 읍 여 빙하 수

No.134

★七夕
칠석

無窮會合豈愁思 요　　窮/다할　豈/어찌
무궁 회합 개 수 사　　궁　개

不比浮生有別離 라.
불 비 부생 유별 이

天上却成朝暮會 어늘　　却/물리칠
천상 각 성 조모 회　　각

人間謾作一年期 라.　　謾/속일　期/기약할
인간 만 작 일년 기　　만　기

☞자주 만나니 무슨 시름이 있겠는가
이별이 잦은 현 세상과는 다르다네
하늘에서 아침저녁으로 만나는 것을
인간들이 일 년에 한 번 만난다고 속이고 있거늘

※이 시는 견우 직녀가 칠월칠석에만 만나는 것이 아니라
하늘에서 매일 만나는데 인간들이 부질없이 한 번 만난다
고 한 것이라고 읊었다.

☺浮生/뜬 세상　謾作/부질없이 말들을 함(부질없이 지어냄).
부생　만 작

★新凉/초가을에　　凉/서늘할
신 량　　량

翡翠簾疎不蔽風 하니　　翡/물총새=翠　疎/트일　蔽/덮을
비취 렴 소 불 폐 풍　　비　취　소　폐

新凉初透碧紗朧 이라.　　透/통할　碧/푸를　朧/바지가랭이
신량 초 투 벽사 롱　　투　벽　롱

涓涓玉露團九月 에　　涓/시내　團/둥글
연연 옥로 단 구 월　　연　단

說盡秋情草下蟲 이라.
설 진 추정 초 하 충

☞비취 발 틈에 스며드는 바람
싸늘하게 비단 옷에 스며드네
반짝이는 이슬과 둥근 달이여
가을 정을 풀밭에서 벌레가 우네

※이 시는 가을바람이 스며드는 이슬 내리는 구월을 벌레들이
울고 있음을 표현 한 것이다.

☺翡翠簾/비단으로 꾸며서 만든 발. 碧紗襱/푸른 비단으로 만든 바지
비취 렴 벽사 롱
가랑이. 涓涓/흐르는 모습,이슬이 흘러내리는 모습을 그린 것
연연
團九月/달이 둥근 구월의 하늘.
단 구 월

No.136

★秋夜/가을 밤에
추야

絳紗遙隔夜燈紅 하니 絳/진홍 遙/멀 隔/사이뜰
강 사 요 격 야 등 홍 강 요 격
夢覺羅衾一半空 이라.
몽 각라 금 일 반공
霜冷玉籠鸚鵡語 하니 鸚/앵무새= 鵡
상 냉 옥 농 앵무 어 앵 무
滿階梧葉落西風 이라. 階/섬돌
만 계 오엽 낙 서 풍 계

☞붉은 비단에 비치어 등불이 붉은데

꿈을 깨어보니 비단 한쪽이 텅 비었네
서리 차가운 새장에서 앵무새는 지저귀는데
뜰에 가득히 오동잎이 서풍에 떨어지네

※이 시는 저녁에 꿈을 깨보니 옆자리가 비어 있기 때문에
허무한 느낌이 드는데 새 소리와 오동잎이 지는 소리가
들려 더욱 서글픈 심정이 된 것을 읊었다.

☺絳紗(강사)/붉은 비단의 휘장 一半空(일반공)/한쪽,남편이 누워있는 자리가 비어 있음

玉籠(옥롱)/구슬로 만든 동우리. 黃眞伊(황진이)는 시와 妓名(기명)은 明月(명월),中宗(중종) 때 사람, 黃進士(황진사)의 庶女(서녀)로 詩(시)와 音律(음률)에 뛰어 났으며 容貌(용모)가 出衆(출중)하였다.

庶(서)/여러 容(용)/얼굴=貌(모)

littofur

No.137

★半月/반달
반월

誰斷崑崙玉 하여 — 崑/산이름 =崙
수 단 곤륜 옥 — 곤 륜

裁成織女梳 오 — 裁/마름 梳/얼레 빗
재 성 직 여 소 — 재 소

牽牛一去後 에 — 牽/끌
견우 일거 후 — 견

愁擲碧空虛 라. — 擲/던질 碧/푸를
수 척 벽공 허 — 척 벽

☞누가 둥근 옥을 끊어서
반달을 만들었는가
칠석날 임이 떠난 후
수심에 잠겨 하늘에 떠 있네

※이 시는 반달을 象徵的(상징적)으로 표현한 것이다, 七月七夕(칠월 칠석)날 牽牛星(견우성)이 떠난 뒤 愁心(수심)을 이기지 못하여 여자의 머리를 빗는 빗 같은 반달이 공중에 떠 있다고 하였다

☺崑崙玉(곤륜 옥)/중국곤륜산에서 나는 구슬,좋은 구슬(둥근 구슬)
織女梳(직녀 소)/여자의 빗(여자의 빗처럼 생긴 반달을 상징한 것)
牽牛(견우)/견우성(임) 碧空虛(벽공 허)/텅빈 푸른 하늘

No.138

★送別蘇世讓/임을 보내며
송별 소세양

月下庭梧盡 이요 霜中野菊黃 이라.
월하 정 오 진 상 중 야국 황

樓高天一尺 이요 人醉酒三觴 이라. 觴/잔
누 고 천일 척 인 취 주 삼 상 상

流水和琴冷 이요 梅花入笛香 이라.
유수 화 금 냉 매화 입 적 향

明朝相別後 에 情與碧波長 이라.
명 조 상 별후 정 여 벽 파장

☞달빛 아래 오동잎이 지는데
서리를 맞고 들국화가 피었네
다락이 높으니 하늘에 닿네
사람이 취하니 술을 천 잔이나 마셨네
흐르는 물은 거문고 소리에 싸늘하고
매화는 피리 소리에 젖어 향기롭네
내일 서로 이별한 뒤에
정은 저 강물처럼 끝이 없으리

※이 詩는 黃眞伊가 蘇世讓을 離別하면서 그때의 季節的인
시 황 진 이 소세양 이별 계절적
것과 만난장소와 狀況등을 描寫하고 離別한 뒤에도 저 물
상황 묘사 이별
결처럼 정은 이어져야 할 것이라고 하였다.

☺天一尺/하늘이 일 척 거리밖에 안됨 和琴冷/거문고 소리에 화하여
천일 척 화 금 냉
들린다. 入笛香/피리 소리에 화하여 향기롭다.
입 적 향

No.139

★相思夢/꿈길에서
상사몽

相思相見只憑夢 이로소니
상사 상견 지 빙 몽

儂訪歡時歡訪儂 이라. 儂/나 訪/찾을
농 방 환 시 환 방 농 농 방

願使遙遙他夜夢 으로 遙/멀
원 사 요 요 타 야 몽 요

一時同作路中逢 이라. 逢/만날
일시 동 작 노중 봉 봉

☞꿈길에서 임을 그리다가 임을 보기는 하는데
내가 임을 찾아갈 때 임은 나를 찾아왔네
바라건대 다른 날 밤 꿈길에서는
함께 오가는 길에서 만났으면

※이 시는 꿈길에서나 만나보려고 찾아가면 임은 나를 찾아
갔다고 하여 만나지 못 하였는데 앞으로는 어긋남이 없이
꿈길의 도중에서 서로 만나자고 표현하였다.

☺只憑夢/다만 꿈에만 의지함 儂訪歡時/내가 임을 찾아가서 기쁘게
지 빙 몽 농 방 환 시
놀려고 할 때. 遙遙/멀고 먼.
요 요

No.140

★相思夢/꿈길에서
상사몽

相思相見只憑夢 이로소니
상사 상견 지 빙 몽

儂訪歡時歡訪儂 이라.
농 방 환 시 환 방 농

願使遙遙他夜夢 으로
원 사 요 요 타 야 몽

一時同作路中逢 이라.
일시 동 작 노중 봉

儂/나 (농) 訪/찾을 (방)

遙/멀 (요)

逢/만날 (봉)

☞꿈길에서 임을 그리다가 임을 보기는 하는데
내가 임을 찾아갈 때 임은 나를 찾아왔네
바라건대 다른 날 밤 꿈길에서는
함께 오가는 길에서 만났으면

※이 시는 꿈길에서나 만나보려고 찾아가면 임은 나를 찾아 갔다고 하여 만나지 못 하였는데 앞으로는 어긋남이 없이 꿈길의 도중에서 서로 만나자고 표현하였다.

☺只憑夢(지빙몽)/다만 꿈에만 의지함 儂訪歡時(농방환시)/내가 임을 찾아가서 기쁘게 놀려고 할 때. 遙遙(요요)/멀고 먼.

Hugo_ob

No.141

泛彼中流小栢舟　　　　泛/뜰　　栢/나무이름
범피중류 소 백 주　　　　범　　백

幾年閑繁碧波頭 요.　　繁/많을
기년 한 번 벽파 두　　번

後人若問誰先渡 면　　渡/거널
후인 약 문 수 선 도　　도

文武兼全萬戶侯 라.
문무겸전 만호후

☞저 물 한 가운데 잣나무 배
몇 년이난 물결에 시달렸던가
뒷사람이 내 사랑을 묻는다면
文武가 兼全한 萬戶侯란 사람이니라
문무 겸전 만호후

※이 시는 작자가 자신의 운명을 물결에 시달리는 배로 상상하여 읊은 것인데,그런 험한 세상길에 살지만 내가 바라는 사랑은 문무가 겸전한 높은 벼슬을 한 인물이라는 뜻이다.

☺小栢舟/조그만한 잣나무로 만든 배.여자를 상징적으로 비유 한 말
소 백 주

碧波頭/푸른 물결의 머리, 곧 험한 세상을 상징한 것
벽파 두

文武/문과 무,글과 무술(문반,부반)　萬戶侯/벼슬이름.
문무　　　　　　　　　　　　　　만호후

雲楚　楚/모형
운 초　초

芙蓉,本名은 雲楚, 金履陽의 小室,朝鮮 中期 成川의 名妓임,
부용 본명 운 초 김이양 소실 조선 중기 성천 명기

歌舞(가무)와 詩文(시문)에 뛰어났으며 作品集(작품집) 芙蓉集(부용집)에 收錄(수록)한 3백 여 수의 시는 閨秀(규수) 文學(문학)의 정수로 손꼽힌다.

No.142

★詩酒(시주)/술과 시

酒過能伐性(주과능벌성) 이요　　伐(벌)/칠

詩巧必窮人(시교필궁인) 이라.　　巧(교)/공교할

詩酒雖爲友(시주수위우) 나　　雖(수)/비록

不疎亦不親(불소역불친) 이라.

☞술이 과하면 몸을 해치고
시를 잘하면 사람이 궁하니라
시와 술이 비록 벗이 될 수 있으나
멀리 해서도 안 되고 가까이 할 것도 못되네

※이 시는 시와 술이 벗이 될 수 있어도 너무 가까이도 말고 너무 멀리도 말라는 교훈적인 내용으로 쓴 것이다.

☺伐性(벌성)/성품을 침범함 窮人(궁인)/사람을 궁하게 만듬.

No.143

★故園(고원)/故鄕(고향)

前江夜雨漲虛沙 하니　　漲/불을
전강 야우 창허사　　창

萬里同情一帆斜 라.　　帆/수레바퀴나무둘레
만리 동정 일범사　　범

遙想故園春已到 하니
요상 고원 춘기도

空懷無賴坐天哀 라.　　懷/품을　賴/힘입을
공회 무뢰좌천애　　회　뢰

☞강물이 밤비에 불어났네
끝없는 강 위에 배가 떠가네
고향에 깃든 봄을 생각하고
쓸쓸한 마음 달래고 있네

※이 시는 밤비에 강물이 불어나 배가 가벼웁게 떠가는데 고향에 가고 싶은 생각이 떠올라 어찌할 바를 모르고 서성이는 심정을 쓴 것이다.

☺虛沙/물이 없는 모래(물이 빠진 모래밭)
허사

無賴/어찌할 바를 모르는 상태.
무뢰

No.144

★晩春/가는 봄
만춘

山臺翠柳亂聞鶯 하니　　鶯/꾀꼬리
산대 취유 난문앵　　앵

獨有殘春未了情 이라.　　了/마침
독유 잔춘 미료정　　료

朝來汎濫桃花溟 하니　　汎/뜰　濫/퍼질　溟/어두울
조래 범람 도화명　　범　람　명

一帆靡風下浿城 이라.　　靡/쓰러질　浿/강이름
일 범 미 풍 하 패성　　미　패

☞산대 버들 속에서 꾀꼬리가 우네
가는 봄 아쉬워 서글플 뿐이네
아침에 와보니 복사꽃이 강물에 떠가는데
돛을 단 배가 바람 따라 패성에 내려가네

※이 시는 버들 숲 속에서 우는 꾀꼬리는 봄이 가는 것이 서글퍼서 우는데,복사꽃이 떠가는 강은 물이 불어나 돗단 배가 바람에 살같이 가는 모습이 아름답다는 것을 쓴 것이다.

☺亂聞鶯/어지럽게 꾀꼬리 우는 소리가 들림
난 문 앵

未了情/아직도 봄에 대한 정이 남아 있음
미료 정

桃花溟/복사꽃이 떠서 흘러가는 바다(호수)　浿城/지명.
도화 명　패성

No.145

★梅花
매화

玉貌氷肌冉冉衰 하니　　貌/얼굴　肌/살　冉/나아갈
옥모 빙기 염염 쇠　모　기　염

東風結子綠生枝 라.
동풍 결 자 녹 생 지

纏綿不斷春消息 하니　　纏/얽힐　綿/이어질
전면 불 단 춘 소 식　전　면

猶勝印簡恨別離 라　　猶/오히려　簡/대쪽
유 승 인간 한별 이　유　간

☞고운 얼굴 흰 살결이 점점 쇠하는구나
동풍에 열매를 맺는 나무도 푸른 가지가 돋아났다
봄소식은 끊이지 않고 해마다 돌아오니
이별을 한하는 인생과 같지 아니하네.

※이 시는 매화를 그린 것이다 매화나무는 세월이 감에 따라 쇠하여 가지만 열매를 맺고 푸른 가지가 생겨서 언제나 봄 소식을 전하여 주고 있는 것이, 인간에게 이별이 있어 소식이 없는 것보다 낫다고 하였다.

☺玉貌氷肌(옥모 빙기)/구슬처럼 맑은 모습과 어름같이 흰 살결

冉冉(염염)/연약한 모습 結子(결 자)/열매를 맺음 纏綿(전면)/끊이지 않고 이어짐.

tingyaoh

No.146

★假梅花/花瓶에 꽃을 꽂고
가 매 화 화병

孤鶯啼歇雨絲斜 하니 歇/쉴
고 앵 제 헐 우 사 사 헐

窓掩黃昏暖碧沙 라. 掩/가릴
창 엄 황혼 난 벽사 엄

無計留春春已老 이로소니
무 계 유 춘 춘 기 노

玉瓶聊揷假梅花 라, 聊/귀울릴 揷/꽂을
옥병 요 삽 가 매 화 요 삽

☞꾀꼬리가 울고 나더니 가랑비가 내리고 있네
창에 황혼이 내리니 방안이 아늑하네
저무는 이 봄이 깊어 가는데
화병에 꽃을 꽂고 매화인 양 바라보고 있네

※이 시는 꾀꼬리가 울고, 비가 내리는 늦봄에 봄이 가는 것이 서글퍼서 꽃병에 꽃을 꽂아 놓고 매화인양 보고 있는 심정을 엿볼 수 있다.

☺無計留春/계획이 없이 봄을 머물러 놓고 상상하는데
무 계 유춘

玉瓶/구슬 꽃병 假梅花/가짜의 매화.
옥병 가 매 화

★餞春/봄을 보내고 餞/전별할
전춘 전

芳郊前夜餞春回 하여 郊/성밖
방교 전야 전춘 회 교

不耐深愁强把杯 라. 耐/견딜 把/잡을
불내 심 수 강 파 배 내 파

猶有榴花紅一樹 하여　　　猶/오히려
유 유 류 화홍 일 수　　　유

時看蛺蝶度墻來 라.　　　蛺/나비= 蝶　墻/담
시 간 협 접 도 장 래　　　협　접　장

☞어젯밤 들에서 봄을 보내고 와서
서글픔은 참을 길 없어 술잔을 들었네
석류나무에 붉은 꽃이 피고 있는데
때때로 나비가 보고 담을 넘어 날아오네

※이 시는 봄을 전송하고 시름을 이기지 못하여 술잔을 잡고 서글퍼하는데 석류꽃이 한 그루 피어 있어 나비가 담 너머에서 기웃거리고 있는 모습을 그린 것이다

☺餞春回/봄을 전송하고 돌아옴
전춘 회

强把杯/일부러(무리하게)술잔을 잡음　度墻來/담을 지나서 옴.
강 파 배　도 장 래

No.147

★百年心/살구나무
백년 심

遲日鶯啼小杏陰 -
지일 앵 제 소 행 음

佳人悄坐繡簾深 이라.　　　悄/근심할　繡/수놓을　簾/발
가인 초 좌 수렴 심　　　초　수　렴

願取春風無限柳 하여
원 취 춘풍 무한 류

絲絲綰結百年心 이라.　　　綰/얽을
사 사 관 결 백년 심　　　관

☞긴 여름을 꾀꼬리가 살구나무에서 우네
아름다운 여인 발 너머 안방에 쓸쓸히 앉아 있네
버들에 불어오는 끝없는 봄바람이여
실마다 그대와의 백 년의 마음을 맺고 있네

※이 시는 꾀꼬리 우는 소리가 들리는 방안에서 홀로 앉아 있는 여인의 봄 바람에 휘늘어진 버들가지를 잡아 묶어 풀어지지 않는 정을 맺고 싶어하는 심정을 표현한 것이다.

☺悄坐/슬프게 앉아 있는 것. 綰結/맺는 것.
초 좌 관 결

No.148

★一別成都/서울을 떠나니
일별 성도

一別成都惱遠思 하니 惱/괴로워할
일별 성도 뇌 원 사 뇌

庭花如雨滴霏霏 라. 滴/물방울 霏/눈 펄펄 내릴
정 화 여 우 적 비 비 적 비

簷鵲數聲慵罷夢 하니 慵/게으를 罷/방면할
첨 작 수 성 용 파 몽 용 파

夢中歸路細如絲 라.
몽중 귀로 세 여 사

☞한 번 서울을 떠나니 그리운 생각뿐
뜰에 핀 꽃이 빗방울 지듯 뚝뚝 떨어지네
처마 끝 까치 소리에 꿈에 깨졌는데
꿈길에 가랑비가 실처럼 내리고 있었네

※이 시는 서울을 이별하고 멀리서 그리움에 잠겨 있는 밤에 꿈을 깨고 보니 서러움처럼 가랑비가 내리고 있어 새삼 꿈이 떠올라 쓴 것이다.

☺成都(성도)/서울(성도는 중국의 지명이지만 여기서는 어떤 다른 지명을 말한 것임) 霏霏(비비)/부슬부슬 내리는 비 慵罷夢(용파몽)/게으르게 꿈을 깸,늦게 잠을 깸.

meng-ji-unsplash

No.149

★寒梅/매화꽃
한매

寒梅孤着可憐枝 하여　　　　困/괴로울
한매 고 착 가련 지　　　　곤

殢雨癩風困委垂 라.　殢/나른할　癩/약물중독
체 우 나 풍 곤 위 수　체　나

縱令落地香猶在 라　縱/늘어질　猶/오히려
종 령 낙 지 향 유 재　종　유

勝似楊花蕩溟姿 라.　蕩/쓸어버릴 溟/어두울 姿/맵시
승 사 양화 탕 명 자　탕　명　자

☞매화꽃이 외가지에 차게 피었네
비바람에 시달려 시들어 가네
땅에 진다 해도 향기가 그윽하니
버들꽃 그 자태보다 낫겠지

※이 시는 매화를 읊은 것이다 매화가 가련한 묵은 가지에 뻗어나 비와 바람에 시달려 시들어졌지만 향기는 그윽하여 버들이 휘황한 자태보다 낫다는 것이다

☺殢雨癩風/늘어지게 오는 비와 심술궂게 부는 바람
체 우 나 풍

困委垂/시달려서 가지가 제멋대로 드리워짐
곤 위 수

蕩溟姿/물결 곁에서 제멋대로 바람에 나부끼는 모습.
탕 명 자

No.150

★歸路/구름을 바라보며
귀로

日永山深碧草薰 하니　　　薰/향풀
일 영 산심 벽초 훈　　　훈

一春歸路査難分 이라.　　　査/사실할
일 춘 귀로 사 난 분　　　사

借問此身何所似 요　　　借/빌
차문 차신 하 소 사　　　차

夕陽天末見孤雲 이라.
석양천 미견 고운

☞해가 길고 산이 깊네 풀 냄새도 향기롭네.
봄이 어디로 흘러가네
외로운 이 몸 무엇 같다고 할까
해 지는 하늘 외로운 구름만 바라보고 있네

※이 시는 해가 긴 봄날 갈 길을 모르고 있는 이 몸은 무엇과 같은가 하면 하늘 끝을 떠가는 구름만 보고 있는 신세와 같다고 읊은 것이다.

☺査難分/보아도 분간하기가 어려움(분간 할 수 없음)
사 난 분

何所似/무엇과 같은가.
하 소 사

★燈火/등불
등화

流水無情不復來 하니
유수 무정 불 부 래

春風秋月與誰杯 오.
춘풍 추월 여 수 배

今宵說盡平生志 하니
금소 설 진 평생 지

會事燈花落又開 라.
회 사 등화 낙 우 개

☞한 번 흘러간 물은 다시 흘러오지 아니하니
저 봄과 가을 달은 누구와 더불어 즐길 것인가
오늘 밤에 품은 뜻을 말하려고 하는데
등잔불이 깜박거리네

※이 시는 흐르는 물은 다시 오지 않지만 봄 바람과 가을 달은 변함이 없다 이 변함이 없는 것들과 더불어 술잔을 나누며 여러 가지 포부를 말하니 때마침 등잔불도 불똥을 떨어트리고 다시 밝아온다는 내용으로 되어있다.

☺不復來/다시 오지 않음 與誰杯/누구와 더불어 술을 들 것인가
불 부 래 여 수 배

會事/마침 그때.
회 사

No.151

★閑居/잠을 깨보니
한거

紗窓睡罷月輪西 하니
사창 수 파 월륜 서

漢水雲影夢裏迷 라. 迷/미혹할
한수 운영 몽리 미 미

林下淸風簷簷起 하니
임하 청풍 첨 첨 기

芳心寂寞一雛棲 라.　　　　雛/산비들기　棲/살
방심 적막 일 추 서　　　　추　　　　서

☞잠을 깨보니 달이 서쪽에 기울었네
한강수 꿈길처럼 아지랑이가 끼었네
숲속에 부는 바람이 발을 움직이네
고운 마음으로 멀리 한 마리 새가 날아가네

※이 시는 달이 서쪽에 기울고, 한강수에 구름의 그림자가 지나가고, 창에 휘장이 바람에 펄럭이는데 한 마리 비둘기가 자신처럼 외롭게 날고 있다고 하였다.

☺月輪西/둥근 달이 서쪽으로 기운다 漢水/한강 물
월륜 서　　　　　　　　　　　한수

簷簷起/처마밑 차에 처놓은 휘장이 펄럭임
첨 첨 기

一雛棲/한 마리 비들기가 깃들고 있음.
일 추 서

No.152

★七夕/칠석날에
칠석

漁歌一曲西山空 하니
어가 일곡 서산 공

不忽醉過此夜中 이라.
부 홀 취 과 차야 중

何事鷄鳴天欲曙 요　　　曙/새벽
하사 계명 천 욕 서　　　서

相看脉脉去悤悤 이라.　　脉/후처볼　悤/바쁠
상 간 맥 맥 거 총 총　　　맥　　　　총

☞뱃노래 한 곡조에 온 산이 조용하네

술에 취하여 오늘 저녁에 어떻게 지낼 것인가
어찌 새벽에 닭이 우는가 날이 샌 것 같구나
뚫어지게 서로 바라보네, 갈 길이 총총하네.

※이 시는 칠석날 뱃노래를 부르며 강을 건너갈 수가 없다는 것이다, 즉 닭이 울면 날이 새고,날이 새면 서로 총총하게 헤어지지 않으면 안 될 견우와 직녀를 차마 볼 수가 없다고 하였다.

☺漁歌(어가)/뱃노래 脉脉(맥맥)/이어져 끊어지지 않는 모양 悤悤(총총)/갈 길이 바쁜 모습

No.153

★流水(유수)/흘러가는 물이

秋湖十里繞群巒(추호 십리 요군만) 하니 繞(요)/두를 巒(만)/뫼
一曲淸歌倚彩欄(일곡 청가 의채란) 이라. 彩(채)/무늬
浩浩臺門流居水(호호 대문 유거수) -
終歸大海作波瀾(종귀 대해 작파란) 이라. 瀾(란)/물결

☞긴 호수가 산을 돌고 흐르는데
한 곡조 맑은 가락을 난간에 기대어 불러보네
정자 앞을 흘러가는 저 물이
바다에 흘러가 큰 파도를 일으키겠지
※이 시는 산을 빙 돌아 이 정자 앞을 흐르는 저 물은 바다

에 흘러가면 큰 파도를 일으킬 것이라고 읊었다.

☺群巒(군만)/여러 산봉우리 倚彩欄(의채란)/곱게 채색이 된 난간에 의지함
浩浩臺門(호호대문)/넓고 넓은 집 앞을 흐르는 물.

★瘦容(수용)/야윈 모습이 瘦(수)/파리할

鏡裏瘦容物外身(경이수용물외신) 이
寒梅影子竹情神(한매영자죽정신) 이라.
逢人不道人間事(봉인부도인간사) 하니
便是人間無事人(편시인간무사인) 이라.

☞거울 속 야윈 모습이 맑기도 하다
매화의 그림자요 대나무의 정신이네
사람을 만나서도 세상사 말을 아니하니
문득 근심 걱정이 없는 사람 같구나

※이 시는 세상을 떠난 이 몸은 매화의 그림자요 대나무의 정신을 가지고 있기 때문에 사람을 마나서도 인간사를 말하지 않으니 곧 나는 인간의 無私(무사)한 사람이라는 것이다.

☺瘦容(수용)/야윈 모습.

-끝-

2권으로 이어 집니다

한시 150선

발 행 | 2024년 02월 29일
저 자 | 한상호
펴낸이 | 한건희
펴낸곳 | 주식회사 부크크
출판사등록 | 2014.07.15.(제2014-16호)
주 소 | 서울 금천구 가산디지털1로 119, SK트윈타워 A동 305호
전 화 | 1670 - 8316
이메일 | info@bookk.co.kr

ISBN | 979-11-410-7445-6

www.bookk.co.kr